Sociedade com Deus

"Considero os ensinamentos da Bíblia tão válidos nos dias de hoje quanto nos tempos antigos. Ela é rica em sabedoria e inspiração. Com frequência eu cito passagens do Novo Testamento em meu dia a dia empresarial. Meu versículo favorito é Mateus 7:7: "Pedi e recebereis, buscai e achareis, batei e abrir-se-vos-á.""

Carlos Wizard Martins, criador da rede de ensino de idiomas Wizard e autor de *Desperte o milionário que há em você*

"Ao estudar a Bíblia fica claro que Deus se alegra em nos abençoar e em nos fazer prosperar. Hebreus 11:6 diz que Deus 'recompensa aqueles que o buscam'. Buscar Deus significa conhecer e praticar os seus princípios, e este livro é uma ótima ferramenta para aprendê-los, além de ser um manual prático de como aplicá-los em nossa vida diária, tanto profissional como pessoal. O resultado será desfrutarmos da vida abundante que Deus planejou para cada um de nós."

Mauro Amaral Jr., CEO do UOL Educação, com formação por Harvard, MIT e NYU

"Viver não é colecionar números no imposto de renda. Viver é realizar aqui na Terra tudo o que prometemos a Deus que faríamos em nossa vida. Servir a Deus é a melhor maneira de ser feliz."

Roberto Shinyashiki, psiquiatra e autor de *O sucesso é ser feliz*

"As leis e os princípios abordados neste livro revelam extraordinária criatividade e mostram que a combinação da prática da Palavra de Deus com a boa administração garante o sucesso."

Russel Shedd, doutor em Teologia
e presidente emérito da Editora Vida Nova

"*As 25 leis bíblicas do sucesso* lapidam o caminho para uma Sociedade com Deus."

Rex Nazaré Alves, doutor em Física Nuclear
pela Sorbonne, ex-presidente do CNEN e diretor da Faperj

"Qualquer pessoa, religiosa ou não, pode construir ou aperfeiçoar sua carreira profissional pública ou privada, utilizando os princípios laicos da Bíblia. E quem desejar mais do que isso pode encontrar no agir de Deus uma sólida parceria para enfrentar os desafios e obstáculos do mundo do trabalho."

Rogério Greco, procurador de Justiça/MG,
mestre e doutor em Direito Penal

"Em um momento de decisão profissional sobre o rumo de minha carreira, pedi a Deus que me apontasse o melhor caminho. E ele me mandou a resposta de uma forma indiscutível."

Alexandre Mazza, advogado,
mestre e doutor em Direito Administrativo

"É fácil encontrar e dialogar com D'us nas igrejas, templos e sinagogas; difícil é ganhar o pão com dignidade, comerciar com honestidade, honrar a D'us no cotidiano. Quando aceita D'us como sócio na sua vida e no seu negócio, isso traz proveito para você e também para os que estão a sua volta, na empresa e no mercado."

Alberto Moszkowicz, diretor de operações do Grupo GEN e
ex-CFO do Grupo Campus-Elsevier

"Errais não conhecendo as Escrituras nem o poder de Deus."
Mateus 22:29

"Quem confia no Senhor prosperará."
Provérbios 28:25

William Douglas
&
Rubens Teixeira

Sociedade com Deus

SEXTANTE

edição: Virginie Leite
revisão: Flávia Midori e Hermínia Totti
diagramação: Adriana Moreno
capa: Raul Fernandes
impressão e acabamento: Associação Religiosa Imprensa da Fé

CIP-BRASIL. CATALOGAÇÃO NA PUBLICAÇÃO
SINDICATO NACIONAL DOS EDITORES DE LIVROS, RJ

D768s Douglas, William
Sociedade com Deus: como a fé pode influenciar sua carreira e seus negócios/ William Douglas, Rubens Teixeira; Rio de Janeiro: Sextante, 2014.
192 p.; 14 x 21 cm.

ISBN 978-85-431-0124-8

1. Negócios – Aspectos religiosos. 2. Administração – Aspectos morais e éticos. 3. Deus. 4. Religião. 5. Sucesso nos negócios. I. Teixeira, Rubens. II. Título.

14-13059 CDD: 650.1
CDU: 005.336

GMT Editores Ltda.
Rua Voluntários da Pátria, 45 – Gr. 1.404 – Botafogo
22270-000 – Rio de Janeiro – RJ
Tel.: (21) 2538-4100 – Fax: (21) 2286-9244
E-mail: atendimento@esextante.com.br
www.sextante.com.br

Para Nayara, Luísa, Lucas e Samuel.
William Douglas

Para minha esposa, Marta,
meus filhos, Renan e Mateus,
meus pais, Paulo e Darcy,
e meu irmão, Paulo Teixeira.
Rubens Teixeira

Sumário

INTRODUÇÃO

Sociedade com Deus?

"Os mais altos céus pertencem ao Senhor, mas a terra ele a confiou ao homem."
Salmos 115:16

Quem não gostaria de se tornar sócio de Warren Buffett, Bill Gates ou Jorge Paulo Lemann? Quem não gostaria de uma participação societária, por menor que fosse, em uma empresa espetacular? Estar ao lado de pessoas e empreendimentos inovadores, inspiradores ou marcantes é fantástico. Às vezes, o mais importante não é o tamanho da empresa, mas sua visão e missão. Se esses exemplos já são sedutores, como você reagiria diante da oportunidade de se tornar sócio de Deus? Já imaginou como seria participar dos projetos dele ou poder contar com ele para desenvolver os seus? Se você acha que isso seria maravilhoso mas impossível, este livro pode mudar sua vida.

No mundo dos negócios, não é fácil se tornar sócio de grandes empresários ou de companhias de sucesso. O interessado precisa ter muito a oferecer: seja capital, seja talento. Para ser parceiro de Deus, então, temos a impressão de que é necessário atender a expectativas altíssimas. Mas isso é um equívoco: Deus é exigente no que diz respeito à postura de seus sócios, mas está disposto a se associar até mesmo àqueles que aparentemente não têm muito a oferecer, assim como aos que se comportaram de maneira errada no passado, mas que desejam mudar. Ele valoriza e investe em gente. Todos os seus projetos são focados em pessoas, não em prédios ou em capital. Para ele o que importa é o comprometimento com sua visão, sua missão e seus valores.

Os textos da Bíblia confirmam o interesse de Deus em caminhar conosco e participar de nossos empreendimentos, sejam eles comerciais, relacionados a mudança de status ou a questões familiares e de saúde. Algumas pessoas, como o personagem bíblico Jabez (1 Crônicas 9:4-10), se limitam a pedir ajuda e querem que Deus as apoie sem que ofereçam nada em troca. Outras demonstram gratidão, como Jacó, que prometeu construir um templo e entregar o dízimo sobre tudo o que Deus lhe desse.

Por outro lado, há aqueles que, sem nada pedir, oferecem 100% de suas cotas a Deus, a exemplo do pescador Pedro e do coletor de impostos Mateus, que largaram tudo para seguir Jesus. Em suma, todos temos a oportunidade de nos associar a Deus em um grau maior ou menor em algumas ou até em todas as áreas de nossa vida.

É preciso ter fé para entregar, integral ou parcialmente, decisões e políticas de ação a Deus. É preciso ter fé para orar, para permanecer num lugar que não seja tão agradável e para acreditar que Deus irá mudar a situação no momento oportuno, de acordo com os planos dele.

Na sociedade com Deus, como em qualquer outra, cada parte tem direitos e deveres, ônus e bônus. Não importa se o seu empreendimento é a sua carreira, as suas finanças ou ainda a empresa que você montou ou que gerencia. Deus, nesse aspecto, é parecido com qualquer sócio: ele vai entrar com o "capital" dele, com o "trabalho" dele, e espera que você faça a sua parte para que o projeto decole e renda "dividendos" a ambos.

Deus pode ser encarado como um sócio ou investidor poderoso, mas que também pode atuar como mentor, coach ou consultor fundamental para criar bases sólidas para seu projeto de vida.

Veja o caso de Zaqueu, um "fiscal da Receita Federal" da época

(Lucas 19:1-10). Ele foi almoçar com Jesus e, ao final da conversa, resolveu abandonar a corrupção, devolver o que tinha extorquido dos contribuintes e ainda dividir a fortuna que lhe restasse com os pobres. Não há como negar que Jesus exerceu uma forte influência sobre o novo sócio, mudando sua forma de administrar a carreira e as finanças.

Você deve estar se perguntando: mas o que nós, seres humanos cheios de defeitos, temos a oferecer a Deus? Que resultados ele pode esperar dessa parceria? Primeiro, Deus quer ver o sócio – você – feliz. Segundo, deseja utilizar seu trabalho, sua carreira, sua empresa (seja você dono ou funcionário) para os propósitos divinos. Deus quer ser seu sócio e abençoar seus empreendimentos, mas espera que você siga algumas diretrizes. Nada que um conselho de administração ou um sócio de carne e osso não pediriam. Estamos falando de missão, visão e valores, de como recrutar, manter e premiar todos os acionistas e colaboradores, de políticas de incentivo e da distribuição de dividendos.

Se você já dedica parte de sua vida a Deus, fortalecer sua sociedade com ele deveria ser uma consequência natural. E se não aprecia religião ou se está distante dela, nem por isso está impedido de firmar esse pacto. Basta querer.

A ideia de uma sociedade com Deus pode parecer ousada, pretensiosa ou até chocante, mas e se a Bíblia tratar não só de um Deus que está vivo, mas que também se relaciona? Um Deus que deseja, sim, ir conosco para o trabalho? Pelo que lemos nas Escrituras, Deus quer participar da nossa vida como um todo, não só da parte espiritual. Ele quer participar da nossa vida pessoal, familiar e também da nossa carreira, nossa empresa e da forma como fazemos negócios.

Se Deus quisesse ser seu sócio, você, ao menos, marcaria uma reunião com ele para discutir as bases dessa proposta? Estaria interessado em ler o "prospecto" ou o "folder" no qual esse investidor eterno coloca seus planos e seu modo de agir?

Se você quer saber como seria essa proposta, podemos afirmar que ela já está na mesa, por escrito, há séculos. Está na Bíblia e pode ser expressa em algumas leis espirituais que abordaremos aqui. As leis espirituais são uma modalidade das leis da natureza e, embora sejam imateriais, são tão inexoráveis e poderosas quanto as leis físicas. Não há como fugir de suas consequências, assim como não há como escapar da lei da gravidade ou da lei do magnetismo.

Em nosso livro anterior, *As 25 leis bíblicas do sucesso*, tratamos dessa relação de causa e efeito e nos concentramos nas leis espirituais que se aplicam a todas as pessoas, independentemente de terem ou não religião e de acreditarem ou não em Deus. Aqui, cuidaremos de outras 25 leis, orientadas para quem tem fé em Deus, para quem deseja um padrão mais alto de sucesso e excelência. O modelo apresentado aqui, um aprofundamento do anterior, nos parece ainda mais eficiente, não só nos negócios como também em termos de qualidade de vida e de busca de um sentido para a nossa existência.

Neste livro, vamos tratar de liderança, de trabalho em equipe e de uma nova dimensão de ética e serviço ao próximo. Além disso, falaremos sobre o poder da oração e os milagres que podem acontecer na carreira, nas finanças e nos negócios. Esta obra foi escrita para atender a quem acredita que o sucesso profissional pode estar em harmonia com aquilo que Deus quer para nós e para os que nos são próximos. Como veremos, a Bíblia oferece todo um plano de ação, com orientações seguras e resultados excepcionais.

Enfim, vamos analisar aqui as leis para quem crê em Deus e está interessado em se tornar seu sócio. Você quer conhecer essa proposta? Esperamos que sim!

JESUS SE INTERESSAVA POR NEGÓCIOS E CARREIRA?

Qual seria sua reação se ouvisse que, no início do século I, na Palestina, um mestre incomum contava histórias em que citava trabalhadores, vinhas e investimentos em dinheiro? Pois é a mais pura verdade: em suas histórias, Jesus de Nazaré citava administradores desonestos, credores que não perdoavam dívidas (e outros que o faziam), pérolas valiosas e tesouros escondidos. As pessoas têm medo de reconhecer que trabalho, carreira e negócios eram temas bastante abordados por Jesus, que, aliás, tinha muito a dizer sobre eles.

Acreditamos que Jesus falava sobre esses assuntos porque as pessoas se interessavam por eles. Além de oferecer lições importantes sobre essas questões, ele aproveitava as situações rotineiras para tratar de problemas da alma. Tudo indica que queria fazer mudanças não apenas na forma como as pessoas viam e praticavam a religião, mas também como conduziam suas carreiras e seus negócios. Ele tinha conselhos para administradores, gerentes, funcionários... e até para servidores públicos!

Infelizmente nem todos veem com bons olhos a mistura de fé e negócios. De um lado, estão certos grupos religiosos que se afastaram tanto do mundo cotidiano que, ao contrário de Jesus, perderam a sintonia com os problemas que as pessoas enfrentam no dia a dia. De outro, há aqueles que preferem um mundo menos ético exatamente porque as regras funcionam como obstáculos à exploração do homem pelo homem.

A voz dissonante é dos que compreendem que a retidão e os valores religiosos podem ajudar no desenvolvimento de qualquer atividade, em especial de relações equilibradas, solidárias e respeitosas entre as pessoas. O reverendo Billy Graham, que pregou em dezenas de países e foi conselheiro de vários presidentes americanos, sempre disse que o cristianismo produz pessoas cordatas, trabalhadoras, não dadas a violência e vícios, ou seja (e Graham dizia isso), até regimes ateus deveriam ter consideração com os ensinamentos bíblicos pelo que eles trazem de bom para a comunidade, desde que praticados e não apenas falados.

Na verdade, o que falta ao mundo corporativo é um pouco mais de religião. Ou, pelo menos, dos valores que ela prega. Honestidade, em vez de defraudação; integridade e solidariedade, em vez de exploração do homem pelo homem; responsabilidade social e ambiental, em vez de ganância sem limites; sustentabilidade, em vez de deterioração. Todos esses valores estão na Bíblia e podem ser praticados por qualquer um que os julgue importantes, seja ele cristão, judeu, muçulmano, agnóstico ou ateu.

Um dos problemas da sociedade ocidental é que, embora a maioria diga que acredita na Bíblia como livro sagrado (ou ao menos de sabedoria), seus valores ficam trancados na igreja e não são aplicados no dia a dia. Religião é, sim, o encontro da alma, o reencontro com Deus, mas precisa repercutir na prática cotidiana.

As obras, como a aplicação da Regra de Ouro ("trate os outros como gostaria de ser tratado") ou da Lei da Honestidade, são reveladoras da sociedade com Deus. Elas mostram que sua influência está presente na vida de alguém. Claro que não é necessário ser seguidor de Deus para se comportar de modo ético e caridoso; claro que existem muitos ateus e não religiosos com tais qualidades. O que não se pode admitir é que pessoas que dizem seguir a Bíblia não adotem uma postura compatível com suas recomendações. Elas devem fazer isso por fidelidade, não para serem recompensadas. Mas, se houver recompensas por agir de forma correta, não vemos mal nisso.

A Bíblia contém uma sabedoria eterna que pode ser aplicada à vida profissional e corporativa. Não trata apenas de amor, solidariedade e bondade. Também aborda assuntos mais pragmáticos, para quem deseja subir na vida, ter um bom emprego, ser dono de sua própria empresa, contratar, demitir, motivar, identificar boas equipes, formar bons líderes, planejar e investir. Assim como Jesus fez nas parábolas, a Bíblia não tem medo de misturar fé e negócios, religião e carreira. Por isso, podemos tomar suas lições como base para orientar nossa conduta no mundo empresarial e financeiro.

SERVO OU SÓCIO?

As propostas deste livro são fortes e vão levantar uma série de questionamentos. Você se sentiria à vontade ao pensar que não é mais o único dono de sua empresa ou carreira, e que agora tem um sócio poderoso? Seria capaz de entender que estar num cargo ou numa empresa ruins pode ser algo positivo, talvez até mesmo uma honrosa missão ou um treinamento dados por Deus? Consideraria orar pedindo um milagre? Se você quer avaliar essa sociedade com Deus, deve se preparar para trabalhar com dedicação e eficiência, buscar a sabedoria e a colocar em prática, tratar o outro como gostaria de ser tratado, proteger seu nome ou sua marca, fazer mais do que é pedido. Aplicando esses princípios, conseguirá resultados excelentes, como explicamos em nosso livro anterior. Mas aqui a situação fica mais séria.

Qualquer pessoa pode seguir as primeiras 25 leis para ter sucesso, mas as leis da sociedade com Deus não podem ter como único objetivo enriquecer ou ter sucesso. Seu propósito maior é o amor, a fé, a devoção, a gratidão ou qualquer outro sentimento que vá além da simples (e respeitável) vontade de vencer na vida.

Ao mergulhar neste livro, uma das decisões que você deve tomar é se quer ser prioritariamente alguém que deseja servir a Deus ou tão somente alguém interessado em saber como é ter "Deus como sócio". Nos dois casos, precisará pôr em prática as leis aqui apresentadas para colher os dividendos dessa parceria.

No entanto, por mais que esse novo conjunto de leis traga resultados práticos, credibilidade e respeito, o ideal é que você siga esses ensinamentos por amor ou obediência a Deus, para andar ao lado dele. Mais do que ser sócio de Deus nos negócios, você deve pensar em ser sócio dele na grande jornada da vida.

Não faz sentido uma sociedade com Deus apenas pensando nos seus interesses econômicos ou profissionais imediatos, pois para assinar esse contrato você vai precisar desenvolver sua fé, preocupar-se com o próximo, abrir mão de algumas coisas... e saber quais são as exigências e condições que esse investidor todo-poderoso põe na mesa.

Quem deseja ser sócio de Deus precisa adotar os elevados padrões bíblicos no trabalho, nos negócios e também em casa. Ou seja, precisa usá-los ao lidar com os sócios na Terra e no Céu, com os chefes, os funcionários, os colaboradores e até mesmo os concorrentes, sem falar nos familiares, vizinhos e amigos. Como deve se comportar no trabalho alguém que se diz cristão? Se um seguidor da Bíblia for dono de uma empresa, como deve tratar empregados e clientes? Os produtos vendidos ou os serviços prestados por um sócio de Deus devem ter algum diferencial?

A sociedade com Deus implica uma agenda espiritual com consequências práticas. O sobrenatural não é inerte. Não devemos servir e trabalhar bem apenas visando ao lucro, à credibilidade ou à simpatia. A ideia é servir e fazer boas obras porque Jesus serviu, fez boas obras e mandou que o imitássemos. Em suma, o estatuto dessa sociedade envolve também amar a vida e o próximo como a si mesmo.

Jesus disse para sermos diferentes no mundo, fazer diferente e fazer a diferença. Agir bem no trabalho é um dever religioso, acredite. A pergunta feita por Deus a Caim ainda nos primórdios da humanidade deve continuar ecoando em nossa mente: “Onde está teu irmão?” (Gênesis 4:9). Vários gurus da administração falam sobre substituir a visão competitiva pela colaborativa e sobre a ação de muitos para muitos. Isso, contudo, já era ensinado por Jesus na Palestina.

AS CLÁUSULAS DA SOCIEDADE COM DEUS

Quando Deus entra em sua vida, carreira ou negócios, provoca uma verdadeira revolução, com possibilidades extraordinárias, como veremos mais adiante. Mas, antes disso, você precisa ler o contrato e decidir se deseja ou não entrar nessa sociedade. Veja um resumo das principais cláusulas que serão analisadas em profundidade ao longo do livro:

1. Deus tem interesse em ser sócio nos seus empreendimentos, sejam eles comerciais ou não. A escolha é sua.
2. Essa sociedade poderá ganhar maior ou menor proporção. Deus pode ser apenas um referencial de conduta – e isso será ótimo –, ou assumir o controle acionário da sua vida. Não vai lhe fazer mal tentar uma parceria em que você seja o senhor do negócio. E, se não se sentir à vontade para sair deste modelo, você pode adotá-lo para sempre. Por outro lado, se Deus já é parte da sua vida, experimente – sem medo – deixar que ele assuma o controle. Você verá os resultados. A boa notícia é que os planos de Deus são ótimos: "Porque sou eu que conheço os planos que tenho para vocês", diz o Senhor, "planos de fazê-los prosperar e não de lhes causar dano, planos de dar-lhes esperança e um futuro" (Jeremias 29:11).
3. Decida pensar e agir de forma extraordinária. Normalmente o homem cuida apenas dos seus interesses e pensa no material e no imediato. Façamos o sobrenatural. Sugerimos, portanto, que esteja aberto para essa outra dimensão.
4. Disponha-se a ajudar os outros. Isso você também pode fazer. Não pense que estamos sugerindo que você se transforme num mártir, num Francisco de Assis, num Gandhi. Faça o que está ao seu alcance. E assim passará a ser um instrumento de atuação de Deus, seu sócio no grande investimento da vida humana. Isso criará realizações e resultados incomuns para você e para quem estiver ao seu lado.
5. Ser sócio de Deus faz bem a você, a seus negócios e a sua carreira, e também ao próximo. Por isso, pode ser que você, assim como nós, venha a ter a experiência de ver Deus atuando diretamente na sua vida. Cremos, no entanto, que

Deus prefere agir em parceria com seus filhos. Por isso, ele procura sócios para executar seus planos e sonhos na Terra. Você pode ser um deles.

"No princípio Deus era apenas um abençoador; depois, um sócio. Mas os melhores frutos vieram quando ele se tornou o dono absoluto."
Stanley Fam, empresário

"Confie na existência de uma inteligência divina cujas intenções dirigem o Universo. Faça com que o seu objetivo máximo seja nortear sua vida de acordo com a vontade da ordem divina. Quando procuramos adaptar nossas intenções e ações à ordem divina, nós nos sentimos cheios de força, determinação e segurança."
Epicteto

PARTE I

Os erros que impedem o sucesso

"A bênção do Senhor é que enriquece;
e não traz consigo dores."
Provérbios 10:22

Mentalidades equivocadas a respeito de fé, dinheiro e negócios podem levar à estagnação e ao fracasso. No livro *As 25 leis bíblicas do sucesso*, apresentamos os sete pecados capitais para quem busca melhorar de vida. Aqui vamos analisar os erros mais comuns que pessoas e instituições religiosas podem cometer em nome de Deus, mesmo que de boa-fé.

Não é possível construir uma casa sólida sobre alicerces tortos. Por isso, antes de tudo, é fundamental derrubar conceitos equivocados, fruto muitas vezes de interpretações erradas da Bíblia.

Não devemos confundir a religião, no sentido de "religação com Deus" - que é algo essencialmente bom -, com a religião como "instituição", que, por ser formada por homens, é falível, pois enfrenta os problemas inerentes à natureza humana. Os erros cometidos por quem age em nome de Deus chocam e incomodam, mas não podemos perder de vista o lado positivo da religião porque algumas pessoas fazem coisas com as quais não concordamos. Não devemos abrir mão das bandeiras corretas apenas porque estão em mãos erradas.

Quando se trata de trabalho, negócios e dinheiro, existem

duas correntes dentro das igrejas. De um lado, há os que consideram que sucesso é pecado e, por isso, desestimulam o desejo por crescimento e o esforço para melhorar de vida. Chamamos isso de "teologia da miséria". Do outro, temos a "teologia da prosperidade", que confunde vida espiritual com riqueza e vê o sucesso material como uma obrigação de Deus e um sinal de aprovação espiritual. As duas abordagens pecam pela falta de equilíbrio e de correção bíblica.

A verdadeira prosperidade vai muito além dos resultados financeiros, abrangendo saúde, relacionamentos saudáveis, credibilidade, paz e felicidade.

Outro equívoco comum é supor que Deus vai trabalhar sozinho pelo nosso sucesso, sem que tenhamos que "pôr a mão na massa". E o erro inverso é achar que Deus é grande demais para se importar com a nossa realização pessoal e profissional. Mais uma vez, ambas as concepções estão erradas, por não observarem os ensinamentos bíblicos. Por fim, há muitas pessoas que, por desconhecimento, se apegam a máximas deturpadas de autoajuda bíblica e a amuletos. Como disse Jesus, "Conhecereis a verdade, e a verdade vos libertará" (João 8:32).

"A única coisa que importa é o esforço que fazemos. Este permanece, enquanto o fim a atingir não passa de uma ilusão do alpinista, que anda de um cume a outro. Uma vez atingido, o objetivo deixa de ter sentido."

Antoine de Saint-Exupéry

Erro nº 1 – Acreditar que ter ambição é pecado

"Ganhe o máximo que puder, economize o máximo que puder e dê o máximo que puder."
John Wesley

No Brasil, existe um sentimento geral de culpa ou desprezo pelo sucesso, mesmo que ele tenha sido obtido mediante estudo, esforço e trabalho. Essa visão pode ser decorrente da cultura, da educação familiar ou da orientação espiritual recebidas.

Alguns religiosos creem que não se deve buscar o sucesso e muito menos pedir ajuda a Deus para alcançá-lo, pois isso demonstraria egoísmo e ganância. Para quem pensa dessa forma, querer melhorar de vida é feio, riqueza é coisa suja e ter ambição é pecado. Mas não é! A Bíblia condena a ambição *egoísta*, não a ambição como busca de melhor qualidade de vida para você e sua família.

A advertência dos textos bíblicos é bem clara: "Nada façais por contenda ou por vanglória" (Filipenses 2:3), "Porque onde há inveja e espírito faccioso aí há perturbação e toda a obra perversa" (Tiago 3:16). Mas não está escrito em lugar nenhum que desejar um bom emprego, querer abrir um negócio ou buscar crescimento profissional é errado.

Essa visão distorcida surge da má interpretação de certos trechos das Escrituras. Existe uma passagem, por exemplo, que diz: "... não ambicioneis coisas altas, mas acomodai-vos às pequenas"

(Romanos 12:16). Ao não entender os textos bíblicos, as pessoas acreditam que precisam ser humildes, sem grandes objetivos. Mas a humildade não decorre da situação financeira, e sim da mentalidade. Existem ricos simples e humildes, e pobres arrogantes e altivos. E vice-versa.

Tomando as palavras ao pé da letra, muitos concluem erradamente que Deus condena o sucesso. Eles se esquecem de expoentes bíblicos, como Abraão, Isaque, Jacó, Davi, Salomão e tantos outros, que buscaram, sim, crescer e realizar objetivos bastante ambiciosos, inclusive em nome de Deus.

O sentido do texto, segundo o original grego, é que evitemos a vaidade e o orgulho, e que atentemos para as coisas simples. Esse versículo nos lembra também da Lei do Contentamento, abordada em *As 25 leis bíblicas do sucesso*, que trata da virtude de se satisfazer com o que se tem. Isso não quer dizer que devemos nos acomodar, mas que precisamos saber parar e dar valor ao que conquistamos, sem buscar incessantemente mais, mais e mais.

O sucesso e o enriquecimento não são incompatíveis com uma vida correta diante de Deus. As pessoas repetem que "o dinheiro é a raiz de todos os males", mas não é isso que está escrito. O problema é o "amor" ao dinheiro: "Pois o amor ao dinheiro é a raiz de todos os males" (1 Timóteo 6:10). Ou seja, o dinheiro não pode ser a prioridade na nossa vida. Devemos ter uma relação saudável com ele, sem rejeição e sem apego excessivo, para que ele nos sirva.

A rejeição à prosperidade e até mesmo certa repulsa em relação a ela criam uma barreira mental ao sucesso. A crença de que ser rico é uma vergonha gera falta de interesse em crescimento e ascensão profissional. Conhecemos muitos cristãos que se recusam a pensar na vida secular, no trabalho e na sua situação financeira e estão desempregados, subempregados, infelizes, frustrados ou endividados – o que não deixa ninguém feliz, muito menos Deus. Diferentes textos bíblicos explicitam que o desejo de Deus é que tenhamos uma vida boa e feliz, como esta passagem do Antigo

Testamento: "O Senhor o guiará constantemente; satisfará os seus desejos numa terra ressequida pelo sol e fortalecerá os seus ossos. Você será como um jardim bem regado, como uma fonte cujas águas nunca faltam. Seu povo reconstruirá as velhas ruínas e restaurará os alicerces antigos; você será chamado reparador de muros, restaurador de ruas e moradias" (Isaías 58:11-12).

Em relação aos problemas financeiros, não são só os manuais de finanças pessoais que dizem que devemos evitar dívidas. A Bíblia fala sobre isso em várias passagens: "Não devam nada a ninguém" (Romanos 13:8), "Quem toma emprestado é escravo de quem empresta" (Provérbios 22:7) e "Vocês foram comprados por alto preço; não se tornem escravos de homens" (1 Coríntios 7:23).

Muitos religiosos pensam que sucesso, fortuna e poder atrapalham, pois levam as pessoas a se afastarem de Deus. Na verdade, essas coisas só potencializam o que você já é. Ninguém deixa de ter fé ou de seguir bons princípios porque ficou rico. Poder, dinheiro e riqueza não mudam as pessoas, apenas revelam mais claramente sua natureza: se elas são generosas ou egoístas, íntegras ou corruptas, boas ou más administradoras. Citando Lucas 16:10: "Quem é fiel no mínimo, também é fiel no muito; quem é injusto no mínimo, também é injusto no muito."

Claro que as pessoas podem mudar, mas o que faz isso é a consciência, o estudo, a experiência ou a ajuda divina, raramente a conta bancária.

Erro nº 2 – Supervalorizar a fama, o poder e o sucesso material

"Ordene aos que são ricos no presente mundo que não sejam arrogantes, nem ponham sua esperança na incerteza da riqueza, mas em Deus, que de tudo nos provê ricamente, para a nossa satisfação. Ordene-lhes que pratiquem o bem, sejam ricos em boas obras, generosos e prontos para repartir. Dessa forma, eles acumularão um tesouro para si mesmos, um firme fundamento para a era que há de vir, e assim alcançarão a verdadeira vida."

1 Timóteo 6:17-19

A outra face da moeda, o reverso do erro anterior, é acreditar que apenas pessoas ricas sejam abençoadas. Quem comete esse tipo de equívoco se esquece de que a família de Jesus era pobre. Assim como não se deve rejeitar a ideia de crescimento, não faz sentido priorizar o dinheiro, agindo como se fosse obrigação de Deus providenciá-lo.

Existem pessoas que evitam os mais pobres e só querem se relacionar com gente rica. Para elas, tudo gira em torno de fama, poder e riqueza. Quem ama mais o dinheiro do que a correção, a ética e o próximo pode acabar agindo de forma desonesta para obter mais ganhos. Quantas carreiras promissoras não foram destruídas porque o sujeito – seja ele um executivo, um político, um profissional qualificado ou um empregado doméstico – amou o dinheiro, pegando o que não lhe pertencia ou fazendo negócios escusos?

Essa visão torta do mundo gera preconceitos e faz muitos tratarem com desdém aqueles que exercem funções mais simples. Esse tipo de comportamento não é bem-visto no mundo dos negócios e a visão dominante é a de que devemos tratar bem a todos, respeitando cada função. O curioso é que a Bíblia já recomenda isso há séculos, pregando que todo trabalho é digno e que não podemos desprezar as ocupações mais humildes. Na primeira carta de Paulo aos Coríntios, há uma analogia entre as diferentes partes do corpo e as funções dos homens: "Os membros do corpo que parecem mais fracos são indispensáveis, e os membros que pensamos menos honrosos, tratamos com especial honra" (1 Coríntios 12:22-23).

Deus não quer que seu povo viva na miséria, no opróbrio, passando vergonha e necessidades. Se há situações assim na vida de alguém, elas deveriam ser transitórias. Como disse Abraham Lincoln, não se acaba com a pobreza e a miséria pela destruição dos ricos ou da riqueza. A Bíblia propõe uma vida de abundância, plenitude e felicidade, e não de pequenez, miséria ou egoísmo. Abandonar a mentalidade de pobreza é muito bom para que os indivíduos e a sociedade progridam. Mas só pensar em dinheiro é uma das formas de ser pobre. Como dizem por aí: "Ele era tão pobre, tão pobre, que só tinha dinheiro."

Alguém que deseja uma sociedade com Deus não pode se permitir ser materialista, consumista, egoísta ou individualista. Para isso, precisa se insurgir contra o atraso utilizando premissas que levem ao êxito, mas sem se tornar viciado nele. Citando novamente Timóteo, é preciso tomar cuidado para não cair em tentação, em armadilhas ou desejos descontrolados e nocivos, que levam os homens a mergulhar na ruína e na destruição: "Algumas pessoas, por cobiçarem o dinheiro, desviaram-se da fé e se atormentaram a si mesmas com muitos sofrimentos. Você, porém, homem de Deus, fuja de tudo isso e busque a justiça, a piedade, a fé, o amor, a perseverança e a mansidão. Combata o bom combate da fé" (1 Timóteo 6:10-12).

Erro nº 3 – Esperar que Deus faça tudo

"Esforça-te..."
Josué 1:6

Um ditado popular reza que "morto, quando acha quem o carregue, dá volta no caixão". O comodismo de que trata o adágio é o que leva muitas pessoas a não trabalharem pelo próprio sucesso, achando que Deus abrirá as portas ou as abençoará sem que precisem pôr mãos à obra.

Mais adiante analisaremos alguns casos em que Deus realiza tudo sozinho, mas não pense que essa é a regra. Quando Deus procede dessa forma, ele costuma informar. Se não informou, é porque você tem que fazer a sua parte. Essa é uma das facetas da responsabilidade humana. Desde o Gênesis, Deus deu aos seres humanos a tarefa de dominar as coisas: "E Deus os abençoou, e lhes disse: 'Frutificai e multiplicai-vos, e enchei a terra, e sujeitai-a; e dominai sobre os peixes do mar e sobre as aves dos céus, e sobre todo o animal que se move sobre a terra'" (Gênesis 1:28). Isso é o que chamamos de "mandato cultural", uma ordem divina para estudar, adquirir conhecimento e crescer.

Há numerosas passagens bíblicas em que a ordem é se esforçar e trabalhar. Eis alguns exemplos:

Deus para Josué:

"Esforça-te, e tem bom ânimo; porque tu farás a este povo herdar a terra que jurei a seus pais lhes daria. (...) Não se aparte da tua boca o livro desta lei; antes medita nele dia e noite, para que tenhas cuidado de fazer conforme a tudo quanto nele está escrito; porque então farás prosperar o teu caminho, e serás bem-sucedido" (Josué 1:6,8).

Davi para Salomão:

"Olha, pois, agora, porque o Senhor te escolheu para edificares uma casa para o santuário; esforça-te, e faze a obra" (1 Crônicas 28:10).

Deus, por intermédio de Ageu, para Zorobabel e Josué:

"Ora, pois, esforça-te, Zorobabel, diz o Senhor, e esforça-te, Josué, filho de Jozadaque, sumo sacerdote, e esforça-te, todo o povo da terra, diz o Senhor, e trabalhai; porque eu sou convosco, diz o Senhor dos Exércitos" (Ageu 2:4).

Paulo para os Efésios:

"Aquele que furtava, não furte mais; antes trabalhe, fazendo com as mãos o que é bom, para que tenha o que repartir com o que tiver necessidade" (Efésios 4:28).

Paulo para os Tessalonicenses:

"E procureis viver quietos, e tratar dos vossos próprios negócios, e trabalhar com vossas próprias mãos, como já vo-lo temos mandado" (1 Tessalonicenses 4:11).

Se você quer ser parceiro de Deus, lembre-se: é uma sociedade em que todos os sócios têm ações a realizar. Evite o imobilismo. Não ache que cabe a Deus fazer seu sucesso acontecer. Ele quer ser seu sócio, não seu empregado. É natural que você queira ouvir a Deus, orar, consultar as orientações da Bíblia e meditar antes de tomar decisões importantes, mas tome cuidado para não se tornar alguém sem capacidade de julgamento.

Existem pessoas que não fazem nada sem que um ministro religioso se manifeste ou autorize. Ficam paralisadas à espera de sinais e profecias, esquecendo que a Bíblia diz que os sinais "seguirão os que crerem" (Marcos 16:17), e não o contrário.

Preste atenção para não cometer um destes dois erros: agir sem se aconselhar antes (o que fere as leis da Sabedoria e do Aconselhamento) ou ficar aguardando uma carta registrada e assinada por Deus antes de tomar decisões que lhe cabem.

Dentro dessa linha de pensamento, há quem queira determinar como Deus deve agir, arrogantemente dando-lhe ordens, ou quem enxergue Deus como uma oportunidade de investimento, uma instituição financeira, uma solução instantânea para seus problemas de trabalho e dinheiro. Para essas pessoas, Deus não passa de "banco" ou "aspirina". Elas procuram o Criador com propostas do tipo: "Eu vou lhe dar isso e quero aquilo em troca", "Deus, quero comprar sucesso", "Deus, você tem que me dar sucesso", ou, pior, "Eu determino a você, Deus, que me dê sucesso".

São visões distorcidas, como se Deus fosse nosso empregado ou almoxarifado, e não aquele "que é poderoso para fazer infinitamente mais do que tudo quanto pedimos ou pensamos" (Efésios 3:20). A pior consequência disso é que, ao esperar que Deus faça tudo, você não age e perde a chance de realizar grandes feitos.

A ideia de um "Deus-almoxarifado", que controlamos, parece ser mais confortável que a do Deus soberano, mas não é. O "Deus-almoxarifado" é limitado ao que pedimos ou pensamos, já o Deus soberano não tem limites e é capaz de nos fazer alcançar sucessos além do que imaginamos. Esse "Deus-almoxarifado", se existisse, não daria espaço para parceria nem crescimento pessoal. Fazer tudo por alguém não é o caminho para que a pessoa evolua. Mesmo assim, por incrível que pareça, por vezes a misericórdia de Deus dá socorro a quem o trata de forma tão tacanha.

Compare, agora, o crédulo que fica acomodado com um ateu que trabalhe e estude. Quem está seguindo os bons princípios que são ensinados na Bíblia? Quem, mesmo sem saber, é mais obediente às orientações divinas? Quem colherá bons frutos e terá êxito em seus projetos?

Deus não é injusto: ele mostra o caminho do sucesso. Qualquer ser criado por ele, religioso ou não, obterá resultados se observar seus ensinamentos. E quem diz que segue a Deus, mas se recusa a obedecer sua orientação não tem moral para ficar dando ordens de "Eu quero isso e aquilo", muito menos para reclamar quando não consegue melhorar de vida.

É comum vermos pessoas que agem como se sua relação com Deus, a igreja ou a religião fosse regida pelo Código de Defesa do Consumidor, com cobranças e pretensões as mais variadas. Um tipo que se encontra comumente nesses grupos é o dos "investidores", que chegam a dar muito do que possuem, mas como se fosse moeda de troca ou investimento em favores divinos. Não fazem suas ações por amor ou renúncia, mas na intenção de ganhar 10, 20, 30, 100 vezes mais. E assim estabelecem uma suposta relação "comercial" com Deus, em que o Criador teria a obrigação de solucionar todos os problemas. Deus é generoso, mas não é nosso empregado.

Aproveitamos para contar uma história lamentavelmente verídica. Uma senhora religiosa que morava numa favela começou a fazer jejum porque queria se mudar para um apartamento no bairro nobre da cidade. Fez também com que toda a família jejuasse. Bem, esta senhora faleceu em decorrência do prolongado e insano jejum. Ela está morta. E os parentes que obrigou a jejuar ficaram doentes e com sérios problemas de saúde, chegando a ser internados em hospitais.

O que esta mulher queria de fato com seu jejum? Provavelmente fazer com que Deus melhorasse sua vida, garantisse seu conforto e lhe desse a alegria de morar num bom apartamento. Independentemente de sua sincera devoção espiritual, esse tipo de religioso não conhece bem a orientação bíblica. A rigor, alguém que afirma crer em Deus deve tê-lo num patamar muito superior ao dinheiro, à riqueza ou ao sucesso. Não pode enxergá-lo sob a ótica materialista.

É preciso se livrar dessa visão confusa sobre Deus que, além de contrariar a Bíblia, não lhe trará o êxito que espera. Sobre essa irmã que faleceu, que falta lhe fez conhecer algumas passagens das Escrituras que serviriam de contraponto às suas expectativas, como "Tendo, porém, o que comer e com que vestir-nos, estejamos com isso satisfeitos" (1 Timóteo 6:8) e "Portanto eu lhes digo: não se preocupem com a própria vida, quanto ao que comer ou beber; nem com o próprio corpo, quanto ao que vestir. Não é a vida mais importante do que a comida, e o corpo mais importante do que a roupa?"(Mateus 6:25).

E se Deus tivesse planos de aprendizado ou serviço para aquela senhora exatamente no lugar onde ela já morava? E se fosse para ela mudar aquele lugar com atitudes, exemplos e empreendedorismo? E se ela e os parentes tivessem continuado trabalhando e se esforçando, será que teriam conseguido construir um futuro melhor?

Erro nº 4 – Achar que Deus não fará nada

"Não temas, porque eu sou contigo; não te assombres,
porque eu sou teu Deus; eu te fortaleço, e te ajudo,
e te sustento com a destra da minha justiça."
Isaías 41:10

Pensar que Deus não agirá para melhorar sua vida ou interpretar o aparente silêncio dele como uma demonstração de desinteresse por você é o erro inverso do anterior. Algumas pessoas acham que Deus não se preocupa com elas ou que não irá intervir de modo específico nos assuntos que lhes dizem respeito. Quem acredita nisso dá as mais variadas explicações para justificar por que ele não fará nada.

Existem tradições religiosas que colocam Deus como um ser tão grandioso e sublime que não poderia cuidar das pessoas de forma individualizada. Nessa visão, Deus estaria ocupado com as grandes questões da humanidade como um todo, e não com os problemas de cada diminuto indivíduo.

De fato, muitas religiões consideram Deus um ser supremo e distante. Não o veem como um ser que se relaciona. Já os cristãos chamam Deus de "Pai", o que revela sua natureza amorosa, pessoal, relacional. O Deus-Pai se apresenta, conversa, se importa com a vida dos filhos. A única razão para Deus não agir como um Pai amoroso é o desinteresse da própria pessoa. Porém, quando pedimos sua intervenção, ele age. Pode não ser sempre como gostaríamos, mas Deus intervém.

Nesse sentido, veja as palavras de Jesus: "E eu vos digo a vós: 'Pedi, e dar-se-vos-á; buscai, e achareis; batei, e abrir-se-vos-á; Porque qualquer que pede recebe; e quem busca acha; e a quem bate abrir-se-lhe-á. E qual o pai de entre vós que, se o filho lhe pedir pão, lhe dará uma pedra? Ou, também, se lhe pedir peixe, lhe dará por peixe uma serpente? Ou, também, se lhe pedir um ovo, lhe dará um escorpião? Pois se vós, sendo maus, sabeis dar boas dádivas aos vossos filhos, quanto mais dará o Pai celestial o Espírito Santo àqueles que lho pedirem?'" (Lucas 11:9-13).

Outros acreditam que Deus não irá se preocupar com eles porque são pecadores, ou não merecem ou não são tão importantes assim. Nós cremos que Jesus veio morrer por nós justamente porque somos pecadores, então não faria sentido que ele nos desprezasse por esse motivo. E achar que somos "pequenos" ou "irrelevantes" indica que estamos, de forma equivocada, julgando Deus pelas medidas de valor que usamos na sociedade. O que não é absolutamente o caso.

Há ainda aqueles que afirmam não querer que Deus faça nada por eles na área de carreira e negócios. Usam argumentos do tipo "Deus já me dá muita coisa" ou "Deus tem mais o que fazer". Parecem desconhecer a ideia de um Deus todo-poderoso, onisciente e amoroso, e ostentam uma postura até mesmo orgulhosa, como se dissessem: "Deixe que eu me viro sozinho" ou "Eu dou conta, não preciso de ajuda".

E, claro, existem os que não acreditam em Deus. A Bíblia, fonte de sabedoria milenar, trata do livre-arbítrio, do nosso direito de ter ou deixar de ter fé ou religião: "Ora, o Senhor é o Espírito; e onde está o Espírito do Senhor aí há liberdade" (2 Coríntios 3:17). Deus não obriga ninguém a andar em sua companhia. Então, uma pessoa que não crê em Deus, e por isso não pede sua ajuda, não estará permitindo que ele se torne um parceiro mais presente em sua vida, família, carreira e negócios.

O que podemos concluir da Palavra de Deus é que ele nos

conhece nos mínimos detalhes: "Até os cabelos da cabeça de vocês estão todos contados. Portanto, não tenham medo" (Mateus 10:30-31). Ora, se ele observa coisas de importância tão secundária quanto essas, não iria prestar atenção a outras mais relevantes?

A resposta a essa questão é dada no livro dos Salmos, em que Davi reconhece essa profunda ligação com Deus: "Senhor, tu me sondas, e me conheces. Tu conheces o meu sentar e o meu levantar; de longe entendes o meu pensamento. Esquadrinhas o meu andar, e o meu deitar, e conheces todos os meus caminhos. Sem que haja uma palavra na minha língua, eis que, ó Senhor, tudo conheces. Tu me cercaste em volta, e puseste sobre mim a tua mão" (Salmos 139:1-5).

Quem diz que Deus não tem tempo para as pessoas não leva em conta sua onipotência e onipresença. Mesmo os humanos, engatinhando na tecnologia, sabem onde uma pessoa está por meio de celulares, GPS, etc., como Deus não daria conta de cada indivíduo? Em tempos de Big Data, com o crescimento, a disponibilidade e o uso exponenciais de informações, em que o homem é capaz – por meio dos sistemas e redes que ele mesmo criou – de saber o que se passa do outro lado do mundo e de compartilhar com os outros seus gostos, hábitos e amigos, como o Criador não teria o poder de saber quem somos, onde estamos e do que precisamos?

Por tudo isso, recomendamos que você tenha a mais absoluta certeza de que Deus está interessado em sua vida – em cada detalhe dela – e que, na medida em que você quiser, pedir e permitir, ele irá atuar. Deus espera que você faça a sua parte e ele fará a dele: "Assim diz o Senhor, aquele que o fez, que o formou no ventre, e que o ajudará: 'Não tenha medo (...) Pois derramarei água na terra sedenta, e torrentes na terra seca; derramarei meu Espírito sobre sua prole, e minha bênção sobre seus descendentes'" (Isaías 44: 2-3). E Deus nunca falha.

Erro nº 5 – Máximas de autoajuda

"Rogo-vos, pois, irmãos, pela compaixão de Deus, que apresenteis os vossos corpos como um sacrifício vivo, santo e agradável a Deus, que é o vosso culto racional."
Romanos 12:1

Existe uma tendência humana de partir para crendices, fábulas, misticismo, curandeirismo, simpatias ou o uso de palavras de ordem como se fossem soluções mágicas para todos os problemas. Quando falamos em racionalidade, não estamos excluindo a emoção nem o sentimento, muito menos a espiritualidade, mas apenas comportamentos sem base bíblica, já que todo o nosso estudo é centrado nas lições desse livro milenar. O ser humano tem a propensão a querer materializar a fé, como fez ao construir o bezerro de ouro e idolatrá-lo como se fosse um deus (Êxodo 32).

Outro erro cometido por muitos cristãos é citar trechos da Bíblia como chavões de autoajuda. E, o pior, fora de contexto! O melhor exemplo disso é o uso batido da máxima do apóstolo Paulo "Tudo posso naquele que me fortalece" (Filipenses 4:13) como argumento para não planejar, não se preparar e não ser proativo.

Já vimos vestibulandos não estudarem durante o ano inteiro e, em dezembro, começarem a bradar que iriam passar porque, afinal de contas, "tudo posso naquele que me fortalece". Ou que iriam pagar as dívidas (contraídas de maneira irresponsável) porque "tudo posso naquele que me fortalece". Por amor à verdade, contudo, precisamos ressaltar que, por diversas vezes, Deus, em sua misericórdia, apresenta soluções miraculosas imerecidas.

Há um caso interessante na Bíblia. Um homem, servo de Deus, faleceu deixando dívidas. Apesar de bom servo, ele fora irresponsável com suas finanças e deixara a viúva em situação difícil, às voltas com credores que queriam levar seus filhos como escravos. Pois Deus, mesmo assim, resolveu o problema. A viúva só tinha uma vasilha de azeite em casa, mas, por recomendação do profeta Eliseu, pediu muitas outras emprestadas aos vizinhos e conseguiu encher todas elas com o azeite que possuía. Eram tantas que, com o dinheiro da venda do azeite, ela pôde pagar as dívidas e sustentar os filhos (2 Reis 4). E repare também que, se a viúva e seus filhos tivessem trabalhado mais e conseguido mais vasilhas para encher, poderiam ter ganhado ainda mais.

Deus, muitas vezes, age além, ou apesar, dos nossos parcos (ou nulos) merecimentos. Nós, autores, já experimentamos essa misericórdia em nossas vidas. Feita essa ressalva, analisemos o erro em questão. Quem usa esse versículo irresponsavelmente se esquece de ler o verso anterior, em que Paulo diz que está pronto tanto para perder quanto para ganhar, tanto para ter riqueza quanto para não ter nada, tanto para ter abundância quanto para estar na miséria. Ele, na verdade, estava dizendo que "tudo" poderia naquele que o fortalecia, tendo ou não coisas materiais. Paulo afirmou que a relação dele com Deus não dependia de quanto dinheiro ou sucesso tivesse, ainda que tenha deixado evidente a hipótese de infortúnio.

A Bíblia diz claramente nesse trecho que, para vencermos, precisamos estar preparados para perder (pois uma derrota eventual só será definitiva se nós abandonarmos a guerra). Se prosseguirmos, abriremos uma nova possibilidade de êxito, acumulando a experiência anterior como ensinamento.

O real significado do versículo "Tudo posso naquele que me fortalece" é que a relação de Paulo com Deus não seria afetada pelas circunstâncias. Ou seja, praticamente o contrário do uso "autoajuda" que lhe atribuem hoje em dia.

A expressão "Deus é fiel" é outro exemplo de uso de afirmações verdadeiras em contextos equivocados. Muitos agem como se a expressão, por si só, tivesse um poder mágico e saneador de todos os erros cometidos. Por exemplo, a pessoa não paga o seguro do carro e exclama "Deus é fiel!", como se coubesse a Deus resolver o problema. Não é certo alguém não estudar, não trabalhar, não planejar, não cumprir seus deveres, não ser prudente e se valer de uma expressão como se fosse um "mantra" de proteção, um "curinga" para tudo o que devia ter feito e não fez. A Bíblia fala: "Sede prudentes como as serpentes e simples como as pombas" (Mateus 10:16).

Deus é fiel, sim, principalmente ao que ele diz – e ele disse que o homem colherá aquilo que semeou. Seus conselhos e orientações estão reunidos na Bíblia para que todos possam se beneficiar deles. Deus é fiel. Resta saber se nós também seremos, colocando em prática o que ele nos ensinou.

Algumas pessoas citam versículos a torto e a direito, inclusive em documentos de empresa, mas não praticam o que falam. Na maioria dos casos, a referência aos versos bíblicos é feita por fé ou gratidão a Deus, o que é bom e bonito. Porém, há os que recorrem a esse artifício na esperança de auferir benefícios comerciais, com o intuito de parecer boas pessoas e de captar clientes e simpatia. Isso é usar a fé para fins espúrios. Se a pessoa ou empresa é correta nos negócios, menos mal. Mas se age de modo desonesto, é lamentável, uma vergonha para o Evangelho. Não deixa de ser "tomar o nome de Deus em vão".

O caminho ideal é abandonar clichês, frases de efeito e muita conversa e começar a executar as coisas da forma correta.

Erro nº 6 – Amuletos em vez de ações

"E por que me chamais, Senhor, Senhor,
e não fazeis o que eu digo?"
Lucas 6:46

Mesmo sem ter base bíblica, muitos ministros religiosos e cristãos incentivam o uso de amuletos, em vez de investir em atitudes e ações diferentes. Isso ocorre porque esses recursos são fáceis de entender e aplicar, até pela tendência humana de querer materializar o mundo espiritual. É mais fácil se prender a amuletos e frases de efeito do que mudar comportamentos.

Quem segue esse caminho se esquece do mandamento que fala para não fazer ídolos (Êxodo 20:3-5). E um ídolo não é apenas uma imagem de escultura, pode ser qualquer objeto no qual uma pessoa deposite a confiança que devemos ter em Deus. Sempre que se usam recursos físicos para questões espirituais existe a hipótese de idolatria. Embora às vezes esses comportamentos pareçam inocentes, eles são danosos. Não faz sentido que cristãos usem, para fins de proteção, sorte ou prosperidade, anéis, pedras, colares, quadros, etc. Qualquer pessoa tem direito de possuir em casa, por exemplo, uma mandala – diagrama composto de formas geométricas concêntricas, utilizado pelos místicos como fonte ou concentração de energia –, mas para alguém que coloca a Bíblia como regra de fé e conduta não faz sentido utilizar esses objetos para garantir proteção ou socorro.

Existem duas situações no uso de amuletos. A primeira ocorre quando um cristão, por ingenuidade, simpatia, modismo ou em busca de uma "ajudinha extra", importa amuletos de outras religiões, em manifestação de sincretismo. Alguns chegam a dizer que "mal não faz" ou que "vale a intenção", esquecendo que isso não agrada a Deus. A segunda situação acontece quando o cristão usa textos bíblicos, ou a Bíblia, ou até tatuagens de versículos, como se esses recursos possuíssem algum tipo de força espiritual por si só.

Uma coisa é pendurar na parede de casa um quadro com um versículo ou deixar a Bíblia aberta na mesa. Outra é achar que isso, por si só, trará algum tipo de proteção. O que nos protege é o Deus da Bíblia, o Deus que inspirou o versículo, e não a Bíblia ou o versículo em si. Claro que Deus se agrada de termos o Livro Sagrado e seus ensinamentos à mostra em nosso espaço residencial ou de trabalho, indicando que não nos envergonhamos de nossa fé. O problema ocorre quando a pessoa transfere para objetos físicos a confiança que só Deus pode dar. Ou quando deixa de mudar sua mente e sua conduta e se acomoda nessa falsa confiança em amuletos ou coisas afins.

Nessa mesma linha, outro erro que vem acontecendo em meios religiosos é o exagero na utilização dos chamados atos proféticos. Na Bíblia, esses atos existem e são indicados diretamente por Deus. São ações que, por si sós, jamais teriam poder de produzir algum resultado senão pela intervenção divina. A Bíblia dá vários exemplos. Em Josué, capítulo 6, o exército de Israel, para conquistar a cidade de Jericó, se limitou a rodeá-la por seis dias, e no sétimo a rodeou sete vezes. Depois os sacerdotes tocaram buzinas, o povo gritou e com isso os muros da cidade caíram. Já no capítulo 5 de 2 Reis, Naamã é curado de lepra após se lavar sete vezes no rio Jordão.

O problema é que virou moda fazer atos proféticos. Vemos uma multiplicação desses atos, que vão desde marchas até colocação de marcos, passando por cortar fios, ungir locais, rasgar papéis simbolizando isto ou aquilo. Quando determinados pelo Espírito de Deus, são atos de fé, gestos físicos que apontam para o reino espiritual, mas, quando se tornam um vício ou não são orientados por Deus, estão mais para misticismo.

Há algum tempo assistimos a um vídeo que mostra pastores indo ao cemitério enterrar um caixão com a inscrição "Espírito de miséria". Eles aparecem cavando uma cova, enterrando o tal caixão, etc. Desconhecemos qualquer base bíblica para esse tipo de comportamento e entendemos que esses pastores estariam melhor se dedicassem seu tempo ao estudo da Bíblia, à pregação ou ao trabalho, coisas que de fato enterram não só o "espírito" da miséria, como ela própria, inteira.

O equilíbrio é necessário em todos os assuntos da vida, tanto os religiosos quanto os seculares. Atos de fé são válidos; aliás, vale lembrar que o próprio batismo é um simbolismo. A Bíblia tem espaço para simbolismos e atos proféticos, mas não devemos transformá-los em outra versão da idolatria, que é condenada. Além disso, não podemos usar esses atos como forma de abrir mão do trabalho que nos cabe, ou seja, da nossa intervenção no mundo real em parceria com Deus.

Erro nº 7 – Achar que não se deve misturar fé e negócios

"Quem tem os meus mandamentos e lhes obedece, esse é o que me ama. Aquele que me ama será amado por meu Pai, e eu também o amarei e me revelarei a ele."
João 14:21

Muitas pessoas acreditam que não se deve misturar fé e negócios. Dizem que religião é um assunto complicado – e quando há má interpretação, até concordamos que é mesmo – e não pode ser colocada no mesmo nível de assuntos materiais. Há religiosos que parecem totalmente alheios às questões práticas do cotidiano, como trabalhar, ganhar dinheiro, pagar contas e melhorar de vida.

Um dos maiores erros daqueles que creem em Deus é não aplicar suas lições a todas as áreas da vida, seja na igreja, em casa ou no trabalho. Quando falamos que a sabedoria da Bíblia pode transformar carreira e negócios, não estamos propondo um método apenas para obter lucros e sucesso financeiro, e sim uma mudança que repercuta na qualidade das relações e da vida de patrões, empregados e clientes.

Ao contrário do que alguns imaginam, a mistura de religião e negócios pode ser extremamente benéfica, ao trazer para o competitivo universo corporativo valores fundamentais, como integridade, excelência no trabalho e amor ao próximo.

Jesus diz para tratarmos os outros como gostaríamos de ser tratados. Imagine se banqueiros, servidores públicos e prestadores de serviço seguissem isso? E o que dizer do lucro exagerado, da corrupção e da exploração do próximo? Isso tem que mudar se a pessoa seguir o que Jesus manda. Imagine se todos usassem a Regra de Ouro nos negócios? Bem, ao menos aqueles que se apresentam como cristãos deveriam. A ideia é essa. Empresários, trabalhadores, servidores públicos, políticos e profissionais liberais que andam com uma Bíblia, ou oram, ou frequentam igrejas deveriam se comportar de forma mais ética.

Em um caso temos evidências de que isso de fato pode funcionar. Um alto executivo da gravadora Sony nos contou que no mercado de CDs evangélicos a pirataria é substancialmente menor. Isto se deve à consciência de que não podemos ter algo sem dar a justa remuneração a quem trabalhou. Imagine o que aconteceria se todos os que se apresentam como cristãos deste país aplicassem os conceitos de honestidade e integridade na política, nas empresas e no pagamento de impostos?

O outro lado dessa história não é tão bonito. Alguns cristãos não são corretos: empresários que exploram seus empregados, funcionários que praticam fraudes (mesmo as que julgam serem "pequenas"), servidores públicos que não agem com lisura e assim por diante. A Bíblia diz: "Qualquer que profere o nome de Cristo aparte-se da iniquidade" (2 Timóteo 2:19).

Se alguém se diz seguidor de Deus mas não age de acordo com suas palavras, está se igualando àqueles a quem Jesus chamou de hipócritas. Veja esta passagem bíblica que mostra a importância das nossas atitudes: "De que adianta, meus irmãos, alguém dizer que tem fé, se não tem obras? (...) Se um irmão ou irmã estiver necessitando de roupas e do alimento de cada dia e um de vocês lhe disser: 'Vá em paz, aqueça-se e alimente-se até satisfazer-se', sem porém lhe dar nada, de que adianta isso? Assim também a fé, por si só, se não for acompanhada de obras, está morta. Mas alguém dirá: 'Você tem fé; eu tenho obras.' Mostre-me a sua fé sem obras, e eu lhe mostrarei a minha fé pelas obras" (Tiago 2:14-18).

Vale anotar que não é apenas de roupas e alimentos que as pessoas precisam, mas também de um governo honesto e eficiente, de empresas que não explorem os empregados nem os consumidores, de altos executivos que não vendam a alma ao diabo em troca de bônus astronômicos, de funcionários que não sejam desonestos com seus patrões, de atletas que não tentem lesionar o adversário nem vencer por meios ilícitos. Jogar duro e sério, sim, claro!, mas de forma desleal, nunca.

O sétimo erro é justamente separar a fé do cotidiano, sem pôr em prática aquilo em que se diz crer. A solução é seguir os preceitos bíblicos 24 horas por dia, sete dias por semana, e não apenas nos espaços eclesiásticos, ou no discurso, ou quando está sendo observado por outras pessoas.

COMO EVITAR ESSAS ARMADILHAS?

"O que nos salva é dar um passo. Mais um passo.
É sempre o mesmo passo que se recomeça..."
Antoine de Saint-Exupéry

Como seria bom se o mundo político e corporativo ouvisse esta advertência: "Ai daquele que edifica sua casa com injustiça, e os seus aposentos sem direito! Que se vale do serviço do seu próximo, sem paga, e não lhe dá o salário" (Jeremias 22:13). Isso mexeria muito com o lucro dos bancos e das operadoras de telefonia, ajudaria a enfrentar o trabalho escravo e infantil, a sonegação de impostos e de direitos trabalhistas e previdenciários. E que dizer do conselho de Jesus para os servidores públicos: "Não pratiquem extorsão nem acusem ninguém falsamente; contentem-se com o seu salário" (Lucas 3:14).

Quando a Bíblia diz "Ai daquele..." é porque quem ignorar esse aviso terá que enfrentar as consequências de seus atos. Por outro lado, os textos sagrados mostram que Deus acolhe quem deseja se redimir. Se a pessoa já errou, o conselho é direto: mude (Provérbios 28:13). Então, se você tem sido alguém que incide em quaisquer dos sete erros tratados até aqui, que bom que está lendo este livro. A partir de agora você pode começar a ser não apenas ouvinte, mas também praticante da Palavra.

Estude a Bíblia de forma séria e sistemática, com fé e disposição, e descortine o que ela realmente ensina, evitando seguir outras interpretações. É preciso examinar tudo e reter o que é bom.

No mais, nosso sucesso decorrerá do estudo e/ou do trabalho. E, claro, de nossa persistência. Se, em uma batalha, nós perdermos 50 vezes e vencermos na 51a vez, as 50 derrotas serão o pavimento de uma história de perseverança, pois a vitória, em qualquer momento, apaga toda uma história de fracassos e humilhações.

"Seja a mudança que quer ver no mundo."
Gandhi

PARTE II

Você, sócio de Deus

"Consagre ao Senhor tudo o que você faz, e os seus planos serão bem-sucedidos."
Provérbios 16:3

A primeira condição para se tornar sócio de Deus é acreditar que ele existe. Em seguida, acreditar que ele se interessa por você. E, por fim, procurar estabelecer um relacionamento com ele. Você pode estar em dúvida sobre a maneira como Deus age e não ter muita certeza se ele se preocupa mesmo com sua vida profissional e financeira, mas, como dissemos antes, tentar não faz mal. Caminhe um pouco e você será testemunha do que irá ocorrer.

Se você não tiver fé, ainda assim pode ler este livro e experimentar seus ensinamentos. Mais do que crer, fé é adotar um comportamento sugerido. Veja o caso do apóstolo Pedro na pesca maravilhosa e repare que Jesus o procurou quando ele estava trabalhando. O pescador Simão, a quem o mestre depois daria o nome de Pedro, sabia que o mar não estava para peixe, mas, quando Jesus lhe recomendou que lançasse novamente as redes, ele fez o que era pedido: "Mestre, esforçamo-nos a noite inteira e não pegamos nada. Mas, porque és tu quem está dizendo isto, vou lançar as redes" (Lucas 5:5). Acabou pegando tantos peixes que as redes começaram a se rasgar. Simão Pedro não acreditava, mas fez o que lhe foi pedido. Isso também é fé.

Se você, por outro lado, já dedica um pouco do seu tempo a

Deus e oferece parte de seu patrimônio (com dízimos ou contribuições esporádicas) a ele, se lê a Bíblia ou se apresenta como cristão, esperamos que dê um passo ousado, um passo de fé, subindo mais um degrau na sua vida espiritual: experimente entregar mais "ações" de sua empresa para Deus.

O termo "ações" é bem adequado, pois, além de se referir a cada uma das partes em que se divide o capital de uma sociedade anônima, também nos lembra que fé é, antes de tudo, agir. Aja de acordo com o que a Bíblia recomenda e você verá os resultados. Nós, William e Rubens, costumamos dizer que, mais do que ter fé, somos testemunhas do agir de Deus, quando deixamos que ele faça parte de nossa vida e se torne sócio em nossas empreitadas.

Se você entrar numa sociedade com Deus, experimentará a intervenção dele em sua vida profissional e financeira, não apenas por meio de princípios objetivos e leis espirituais, mas também pela participação direta dele nos assuntos de seu interesse.

Você perceberá que Deus intervém, de modo constante e geral, na vida de todos, por intermédio das leis da natureza que ele mesmo criou. E, às vezes, ele atua de forma específica, direcionada às pessoas que necessitam de uma determinada ação, que pedem sua ajuda ou fazem por merecê-la. Sim, vamos demonstrar que Deus age mais em determinados casos, e quais são eles.

A teologia é muito útil no sentido de esclarecer que temos a intervenção divina pela *providência* e pela *concorrência*. Na primeira, Deus providencia aquilo que precisamos, como o sopro da vida, saúde e condições ideais para que nosso planeta seja habitável. Na segunda, a concorrência, temos a participação humana – e é aí que entra a ideia de sociedade com Deus.

Deus provê, mas também propõe que façamos a nossa parte. É uma parceria em que cada sócio tem seus deveres e tarefas, sem assumir aquilo que cabe ao outro. Às vezes, gostaríamos que Deus cuidasse de tudo, mas ele – perfeito que é – não prestigiará esse comportamento acomodado. Portanto, não devemos ficar esperando que o que desejamos caia do céu. Tampouco devemos achar que Deus não se importa nem vai agir a nosso favor. O correto é ter uma visão equilibrada.

Nesta parte, vamos falar da construção do sócio de Deus, das mudanças que você pode empreender em si, do que pode fazer para melhorar sua relação com outros possíveis sócios de Deus e das leis que deve seguir para colher os frutos dessa sociedade. Na Parte III, que trata da intervenção divina, falaremos sobre os milagres "típicos" de Deus e como você pode influenciá-los a partir do que faz.

Os milagres em geral dependem de uma parceria com Deus, de uma combinação da vontade dele com a ação humana. Nossas pesquisas e experiências confirmam que Deus se manifesta para quem o busca, embora nunca num prazo predeterminado. Ele intervém de forma especial na vida de quem ora e trabalha pelo que deseja.

Às vezes Deus faz algo sobrenatural, em outras ele se "limita" a lhe dar forças para você lutar pelo que quer, como vemos neste trecho do Antigo Testamento: "Não digam, pois, em seu coração: 'A minha capacidade e a força das minhas mãos ajuntaram para mim toda esta riqueza.' Mas lembrem-se do Senhor, do seu Deus, pois é ele que lhes dá a capacidade de produzir riqueza, confirmando a aliança que jurou aos seus antepassados, conforme hoje se vê" (Deuteronômio 8:17-18).

A Bíblia, que está disponível para todos, não deixa de ser uma forma ordinária e genérica de intervenção divina. Algumas pessoas irão seguir seus princípios, outras não. Uma coisa é certa: cada um colherá os resultados das atitudes e comportamentos que adotar (Lei da Semeadura).

Há pouco tempo recebi um vídeo que tem circulado na internet mostrando um barbeiro discutindo com seu cliente, que lê a Bíblia, sobre a existência de Deus. O barbeiro diz que não acredita em Deus, porque, se ele existisse, não haveria tanta dor e sofrimento no mundo. O homem sai do salão, pensativo, e dá de cara com um músico de rua, cabeludo e com a barba comprida. Ele leva o sujeito até o salão e diz: "Os barbeiros não existem." O profissional fica indignado: "Como não? O problema é que ele não veio até mim." O homem, então, conclui: "Deus existe. Só que as pessoas não vão até ele. Por isso há tanta miséria no mundo."

Logo, se você deseja que Deus o ajude na sua vida profissional e financeira, vá até ele. Comece pelo mais simples: utilize o conhecimento já disponibilizado para todos por meio da Bíblia. Aplique os valores bíblicos nas suas relações de trabalho. Ao fazer isso você se torna um milagre (alguém que se importa de forma diferenciada com os outros) e produzirá milagres (as mudanças que sua nova atitude irá gerar). Repare: parte do que chamamos de "intervenção divina" não será Deus abrindo o céu e derramando bênçãos e prêmios no seu colo, mas sim usando você para produzir bênçãos na vida de outras pessoas. O seu sócio, Deus, quer que você ajude o próximo, seja ele seu chefe, seu subordinado, seus colegas de trabalho ou seus clientes.

No livro *As 25 leis bíblicas do sucesso*, apresentamos os princípios do Livro Sagrado que podem trazer bons resultados para qualquer pessoa, seja ela religiosa ou não, praticante ou não. Mas, se você quiser dar um passo além e fazer uma sociedade com Deus, pode aplicar as leis deste livro, que exigem maior comprometimento com os valores bíblicos e com o próximo. Experimente, por exemplo, trabalhar não para sua vaidade mas para tornar o mundo melhor. Isso resultará em um segundo salto de qualidade e excelência em sua vida. Os mais ousados podem ir ainda mais longe, entregando a Deus o controle acionário da empresa chamada Você.

"Caminhos não há, mas os pés na grama os inventarão."

Ferreira Gullar

AS LEIS DA FÉ

1

A Lei da Fé

"Ora, a fé é o firme fundamento das coisas que se esperam, e a prova das coisas que se não veem."
Hebreus 11:1

O primeiro passo para firmar uma sociedade com Deus é, como já dissemos, acreditar que ele existe e que está disposto a ter projetos comuns conosco. Isso é fé. Já ouvimos muitos amigos dizerem: "Eu gostaria de ter fé." Outros se angustiam por causa de suas dúvidas, sentem-se divididos em relação à existência e à atuação de Deus ou incomodados com o tratamento dado pela Bíblia a determinados assuntos.

Faz parte da natureza da fé lidar com dúvidas. Além disso, em qualquer relacionamento ou sociedade há arestas a aparar. Se você pensa sobre questões espirituais, lê sobre o tema (como está fazendo agora) e está disposto a experimentar, já tem fé suficiente para começar – ou continuar – a grande jornada de conhecer a Deus.

Fé é, antes de tudo, agir. Como disse Martin Luther King Jr.: "Fé é pisar o primeiro degrau, mesmo que você não veja a escada inteira." Todos os exemplos que veremos aqui têm um ponto em comum: as pessoas agiram em confiança e, ao fazer isso, colheram bons resultados. A proposta deste livro é que você faça o mesmo: comporte-se como sugerem as leis bíblicas e espere pelas consequências.

Moisés e o povo de Israel estavam diante do mar Vermelho, encurralados pelo exército do faraó. Naquele momento, alguns queriam se render e voltar ao regime de escravidão, outros pensavam em se matar, e Moisés, com confiança, orou pedindo socorro a Deus. A resposta de Deus não poderia ser mais forte, um misto de repreensão e orientação sobre como agir: "Por que clamas a mim? Fala aos filhos de Israel que marchem. E tu, levanta a tua vara, estende a mão sobre o mar e divide-o, para que os filhos de Israel caminhem pelo meio do mar em seco" (Êxodo 14:15-16).

Orar e ficar parado esperando a providência isolada de Deus era a solução imaginada pelo confiante Moisés, mas não a solução divina. Deus queria que eles caminhassem. Mais que isso: que o fizessem em direção ao mar. A fé que caminha às vezes faz o que parece ser impossível, mas o fato – descoberto por Moisés quando obedeceu – é que nenhum mar resiste àquele que marcha em direção a ele. E o povo passou pelo meio do mar.

Na abertura desta parte, citamos a passagem bíblica em que Pedro, mesmo após uma noite de insucessos na pescaria, segue o conselho de Jesus e volta ao mar para fazer nova tentativa. Como no caso de Moisés, esse episódio mistura fé e ação. O pescador passara a noite sem pegar um peixe, portanto voltar a lançar suas redes foi um ato de fé, contra o senso comum e seu conhecimento profissional. É importante observar que Jesus usou uma palavra para aconselhar Pedro que fez toda a diferença na ação. Ele falou: "Vá para onde as águas são mais fundas" (Lucas 5:4). Ou seja, tentar de novo não deve ser mera repetição, mas sim ir mais fundo, fazer melhor dessa vez.

Em outro episódio, Jesus entra em um povoado e dez leprosos gritam para ele a distância: "'Jesus, Mestre, tem piedade de nós!' Ao vê-los, ele diz: 'Vão mostrar-se aos sacerdotes.' Enquanto eles caminhavam, são curados. Depois da cura, um deles, o samaritano, volta, louvando a Deus, e prostra-se aos pés de Jesus, lhe agradecendo. Jesus então pergunta: 'Não foram purificados todos os dez? Onde estão os outros nove?'" (Lucas 17:12-17). Assim como a cura, o sucesso de modo geral ocorre durante a caminhada. O aprendizado, a experiência, a formação de um network, tudo ocorre enquanto nós caminhamos. Essa história também ilustra como a Lei da Gratidão é pouco praticada. Só um entre os dez homens voltou para agradecer a Jesus a dádiva recebida.

Não é preciso ser santo ou anjo para aplicar a Lei da Fé. Basta ouvir as orientações de Deus e ter disposição de caminhar em direção ao mar, ir mais fundo ou em direção a alguma coisa que se deseja. Fé é ouvir a ordem e caminhar. Não importa se o seu objetivo é mudar o mundo, agradar a Deus ou melhorar sua qualidade de vida, ter fé é fundamental para dar o primeiro passo e ao menos experimentar as leis relacionadas aqui.

Uma das máximas da Programação Neurolinguística (PNL) diz que "é preciso crer para ver", ou seja, é preciso pôr em prática para obter respostas e resultados. Talvez isso seja o que Jesus chama de fé do tamanho de um grão de mostarda: "Em verdade vos digo que, se tiverdes fé como um grão de mostarda, direis a este monte: 'Passa daqui para acolá', e há de passar; e nada vos será impossível" (Mateus 17:20). A fé, por menor que seja, move montanhas.

MANIFESTAÇÕES DA LEI DA FÉ

Esta lei não se refere apenas à fé em Deus, mas também à fé no que ele diz e no que pretende para nós. A crença em Deus tem muitos desdobramentos, entre eles:

Fé no futuro – resultado da confiança que você deposita em Deus e nos planos que ele tem para a sua vida: "'Porque sou eu que conheço os planos que tenho para vocês', diz o Senhor, 'planos de fazê-los prosperar e não de lhes causar dano, planos de dar-lhes esperança e um futuro'" (Jeremias 29:11).

Fé em nós mesmos – fruto da compreensão que nascemos do jeito que o próprio Deus escolheu: "Tu criaste o íntimo do meu ser e me teceste no ventre de minha mãe. Eu te louvo porque me fizeste de modo especial e admirável. Tuas obras são maravilhosas! Disso tenho plena certeza" (Salmos 139:13-14).

Fé na oração – sua força pode ser resumida em poucas palavras: "Então vocês clamarão a mim, virão orar a mim, e eu os ouvirei" (Jeremias 29:12).

"A fé não é crer que Deus fará o que você quer.
É crer que Deus fará o que é certo."
Max Lucado

2

A Lei da Oração

"Elias era homem sujeito às mesmas paixões que nós e, orando, pediu que não chovesse e, por três anos e seis meses, não choveu sobre a terra. E orou outra vez, e o céu deu chuva, e a terra produziu o seu fruto."
Tiago 5:17-18

Se para se tornar sócio de Deus é preciso acreditar que ele existe e se importa conosco, o passo seguinte é tentar entrar em contato com ele. Orar é falar com Deus. É o caminho para pedir ajuda, agradecer por tudo o que temos e expressar nossos medos, angústias e desejos. É fundamental que você coloque seus problemas para Deus em oração – e que faça isso de forma consistente, diária. Como diz Paulo: "Orai sem cessar" (1 Tessalonicenses 5:17).

Mas será que deveríamos levar o hábito da oração para a vida profissional? Se você achar que carreira e negócios são assuntos pessoais e sem relevância para Deus, responderá que não. Mas, se considerar que o ambiente de trabalho é onde as pessoas passam boa parte da vida e que ali se dão inúmeras interações diárias, perceberá que é um ótimo campo de atuação para que Deus realize seu grande empreendimento na Terra. Portanto, ele pode e deve ser também um lugar para oração.

Um exemplo disso está no capítulo 2 do livro de Daniel, que conta a história do rei Nabucodonosor, do Império Babilônico, que andava perturbado por causa de um sonho que tivera. Então mandou chamar todos os conselheiros, querendo que lhe dissessem qual tinha sido o seu sonho e o que ele significava. E ameaçou: se nenhum dos sábios lhe desse uma resposta satisfatória, todos seriam demitidos. Só que naquela época "demissão" envolvia ser morto e ter a casa destruída.

Daniel não estava presente à reunião, mas logo ficou sabendo da decisão do rei quando o chefe da guarda foi atrás dele para executá-lo. Habilmente, ele pediu tempo para resolver o problema e levou a questão a Deus em oração. Até que, uma noite, o mistério lhe foi revelado numa visão e ele agradeceu ao Senhor, dizendo: "Seja bendito o nome de Deus de eternidade a eternidade, porque dele são a sabedoria e a força; e ele muda os tempos e as estações; ele remove os reis e estabelece os reis; ele dá sabedoria aos sábios e conhecimento aos entendidos. Ele revela o profundo e o escondido; conhece o que está em trevas, e com ele mora a luz. Ó Deus de meus pais, eu te dou graças e te louvo, porque me deste sabedoria e força; e agora me fizeste saber o que te pedimos, porque nos fizeste saber este assunto do rei" (Daniel 2:20-23).

Daniel contou que o rei havia sonhado com uma estátua com cabeça de ouro, peito e braços de prata, ventre e coxas de bronze, pernas de ferro e pés metade de ferro, metade de barro. No sonho, a estátua era destruída por uma pedra que tomava toda a terra. Segundo a interpretação de Daniel, as diferentes partes da estátua eram diferentes impérios que se sucederiam no controle e no domínio do mundo, até que um dia "o Deus do céu levantará um reino que não será jamais destruído".

O estudo desse caso demonstra que, de alguma forma, Daniel já tinha obtido a confiança do rei e do seu chefe da guarda, pois ambos lhe deram tempo para buscar uma solução e o ouviram mais do que aos demais companheiros. Mas o importante a ser registrado aqui é que um problema de trabalho foi levado a Deus em oração, e Deus respondeu.

Não é objetivo deste livro ensinar a orar nem estudar o tema do ponto de vista acadêmico ou devocional. O que desejamos frisar é que a oração funciona, muda as coisas e pode – e deve – ser praticada no ambiente de trabalho e em favor de sua carreira ou de sua empresa. É lógico que o sucesso profissional é um tema complexo que não se esgota com a oração, mas ela não deixa de ser um requisito essencial para se alcançar a meta pretendida.

Não podemos esquecer que praticamente todas as intervenções divinas relacionadas na Bíblia ocorrem após alguém que tem fé em Deus se dirigir a ele pedindo alguma coisa. Nem sempre ocorre o que se espera, mas em geral a resposta vem... e coisas extraordinárias acontecem.

Para vencer pressões, humilhações, injustiças e outros infortúnios, o apóstolo Paulo nos orienta a conversar com Deus, pois, em situações de dificuldades extremas, sua ajuda é fundamental: "Não andeis ansiosos de coisa alguma; em tudo, porém, sejam conhecidas, diante de Deus, as vossas petições, pela oração e pela súplica, com ações de graças" (Filipenses 4:6).

Se você crê em Deus e tem o hábito de levar a ele seus pedidos em oração, pode se beneficiar de um forte sentimento de segurança, que irá impulsioná-lo na sua caminhada e o ajudará a conquistar seus objetivos.

Além de ser uma conversa com Deus, a oração é uma forma de a pessoa refletir sobre o que deseja, de se ouvir e de mudar a si mesma. Muitos, ao orar, tomam consciência de seus erros e passam a se comportar melhor. A oração agrada a Deus, mas também ajuda a moldar o homem.

"Se Deus é por nós, quem será contra nós?"

Romanos 8:31b

3

A Lei do Treinamento

"Nenhuma disciplina parece ser motivo de alegria no momento, mas sim de tristeza. Mais tarde, porém, produz fruto de justiça e paz para aqueles que por ela foram exercitados."

Hebreus 12:11

Quando Deus não muda as circunstâncias, ele quer mudar você. Então, em vez de ficar se lamentando, tente enxergar que oportunidades se escondem por trás da situação que está vivendo. Aproveite o momento e o lugar em que está para servir e aprender.

Vamos analisar aqui as histórias de dois grandes heróis da Bíblia, José e Moisés, que passaram por longos períodos de privação, mas souberam usar as adversidades como treinamento para as missões que iriam assumir. Como veremos, os obstáculos que enfrentamos podem se transformar no nosso diferencial competitivo no futuro.

TREINAMENTO DIFÍCIL, COMBATE FÁCIL

José, filho de Jacó, teve uma trajetória tortuosa, mas acabou se tornando ministro do Egito, ficando apenas abaixo do faraó em importância. Na juventude, ele era o preferido do pai e alvo da inveja dos irmãos. Para piorar, foi inábil ao falar sobre seus sonhos em que até o Sol, a Lua e as onze estrelas se curvavam diante dele.

Isso fez com que os irmãos se voltassem contra ele e o vendessem como escravo. José foi levado para a casa de um rico egípcio chamado Potifar, onde cresceu e trabalhou com afinco.

Como está escrito na Bíblia, apesar das dificuldades, Deus não abandonara José: "O Senhor estava com José, de modo que este prosperou e passou a morar na casa do seu senhor egípcio. Quando este percebeu que o Senhor estava com ele e que o fazia prosperar em tudo o que realizava, agradou-se de José e tornou-o administrador de seus bens. Potifar deixou a seu cuidado a sua casa e lhe confiou tudo o que possuía" (Gênesis 39:2-4).

Após a reviravolta de ser o filho predileto, virar escravo e se tornar "administrador de empresa", José enfrentou um novo problema: a mulher de Potifar quis ter um caso com ele. José rejeitou a proposta por lealdade a Deus e ao seu chefe. Ele poderia ter tirado proveito da situação mas preferiu agir da forma que considerou correta. E qual foi sua recompensa por ter sido honesto? Foi preso injustamente. O que você faria se jogasse limpo e fosse prejudicado por isso?

Acreditamos que não compensa agir de forma desonesta ou errada só "porque todo mundo faz", "porque se eu não fizer, alguém fará" ou "porque se eu não agir assim, não melhoro de vida". Devemos considerar que vale a pena agir corretamente mesmo que em alguns momentos isso pareça trazer mais problemas do que vantagens. Estamos convencidos de que, no final, a ética e a integridade serão recompensadas.

Foi o que aconteceu com José. Ele não ficou reclamando da vida porque tinha seguido os mais altos valores e mesmo assim se dera mal. Na cadeia, trabalhou e ajudou os presos, interpretando seus sonhos, sem receber reconhecimento ou gratidão. Tudo parecia dar errado, até que ele foi parar na corte e teve um final surpreendente. Como isso aconteceu?

José sempre foi útil e solícito. Muitas pessoas que ele havia ajudado se esqueceram dele e não cumpriram suas promessas. A vida é assim, e José não mudou seu jeito de ser e agir. Passado algum tempo, quando precisaram de alguém capaz de decifrar sonhos, o nome dele veio à tona. Convocado a interpretar o sonho do faraó, José previu, acertadamente, que o Egito devia se preparar para um período de sete anos de fartura, seguido por sete anos de fome e escassez. Foi liberto e se tornou o braço direito do faraó.

Se você for bom no que faz, um dia será lembrado – e aí precisa estar pronto para mostrar suas qualidades. O caso de José demonstra que, se você está fazendo tudo certo e ainda não obteve êxito, é porque a história ainda não acabou. Tenha esperança de que, no final, quem age de maneira correta será premiado. Todas as armas usadas contra quem trilha o caminho certo convergirão para o seu êxito, independentemente da vontade dos seus inimigos.

O processo de crescimento e amadurecimento nem sempre é rápido. Muito tempo transcorreu do momento em que José foi vendido como escravo até ser nomeado ministro do Egito. E não foram anos fáceis, como descreve o salmista: "Afligiram-no com correntes nos pés e grilhões em sua alma" (Salmos 105:18). A lição que tiramos dessa história é que não se deve ter pressa: as grandes histórias de sucesso em geral evoluem lentamente.

Por isso, se estiver passando por dificuldades, lembre-se de que a história de humilhação, vergonha e desprezo pode ser a escada que o levará ao topo. O filme *Quase deuses* conta um caso verídico de superação que demonstra a importância de perseguir seus sonhos, mesmo que pareçam impossíveis. Num período de forte racismo nos Estados Unidos, o jovem negro Vivien Thomas vê suas chances de estudar medicina ruírem, mas abraça a oportunidade de trabalhar como assistente do Dr. Alfred Blalock no Laboratório de Cirurgias Experimentais Vanderbilt. O tempo passa e, anos depois, as pesquisas feitas pelos dois no Hospital Universitário Johns Hopkins levam à primeira cirurgia feita no coração. Mesmo sem diploma, Vivien recebe o título de *doutor honoris causa*.

O tempo é senhor da razão, já foi dito, e trará recompensas. Se você crê na intervenção divina, vale citar o que o rei Davi declarou: "Preparas um banquete para mim à vista dos meus inimigos. Tu me honras, ungindo a minha cabeça com óleo e fazendo transbordar o meu cálice" (Salmos 23:5). Isso não quer dizer que você vá tripudiar sobre seus adversários, mas que eles terão a oportunidade de assistir ao seu sucesso, e você será reconhecido por todas as lutas que enfrentou até chegar ao seu destino.

José soube aproveitar todas as oportunidades de aprendizado que teve na vida. Quando foi escravo na casa de um homem rico, aprendeu a lidar com a riqueza. E observe que o fato de ser escravo não o impediu de trabalhar bem nem de adquirir conhecimento. Depois, na cadeia, aprendeu a viver em meio à escassez de recursos. Foi a soma dessas experiências que o preparou para adminstrar o Egito tanto durante os sete anos de fartura quanto nos sete anos de vacas magras.

Se você não acredita em Deus, veja como José teve sorte e soube aproveitar tudo o que aconteceu com ele, fazendo de sua seriedade e competência algo mais forte do que as crises pelas quais passou. Se você acredita, observe como ele submeteu seu servo a um MBA duríssimo, mas que rendeu resultados excelentes.

Há um ditado usado nas Forças Armadas de que gostamos muito: "Treinamento difícil, combate fácil." Você se acha pronto para os treinamentos difíceis? Quer ter êxito em combates difíceis? Precisa se submeter ao treinamento primeiro.

Dentro desse espírito, veja o depoimento dado por Rousimar Palhares, campeão do UFC no Rio de Janeiro, em agosto de 2011, contra Dann Miller: "O meu diferencial na luta é que eu vinha sendo preparado desde que fui trabalhar na roça, em Dores do Indaiá, Minas Gerais. Eu sabia que ia fazer alguma coisa no mundo. Parecia que todo serviço que eu pegava trabalhava alguma coisa no meu corpo, eu estava me fortalecendo de alguma forma. Quando fui treinar jiu-jítsu, comecei a entender que meu corpo e minha musculatura tinham sido construídos com muito esforço e trabalho, surrados mesmo. Não foi com musculação, foi diferente. Se você não tiver que correr atrás de nada, nem trabalhar, como vai crescer como pessoa e ser humano na vida?"

TODA TERRA PROMETIDA TEM UM DESERTO ANTES

Moisés viveu 40 anos no Egito, junto à família de um faraó. Conhecia profundamente a "ciência dos egípcios e era poderoso em suas palavras e obras" (Atos 7:22). Depois ficou 40 anos no deserto e superou novos desafios. Quando recebeu de Deus a ordem para comandar a saída dos israelitas do Egito, tentou fugir da missão, mas, ao aceitá-la, mostrou-se um líder destacado a ponto de merecer até os nossos dias o respeito de estrategistas e pesquisadores. Quando chegou o momento de libertar o povo hebreu, ele já tinha aprendido como funcionavam o governo e as instituições egípcias e também sabia como viver no deserto, justamente as duas maiores habilidades de que iria precisar.

Maquiavel, por exemplo, dizia a seu respeito: "Para reportar-me àqueles que pela própria virtude e não pela sorte se tornaram príncipes, digo que os maiores são Moisés, Ciro, Rômulo, Teseu e outros tais. Se bem que de Moisés não se deva cogitar por ter sido ele mero executor daquilo que lhe era ordenado por Deus; contudo, deve ser admirado somente por aquela graça que o tornava digno de conversar com o Senhor."

O caso de Moisés é interessante por três motivos:

1. Ele liderou um povo que várias vezes demonstrou preferir viver em regime de escravidão a pagar o preço da liberdade. Sair do estado de letargia em que a vida não é totalmente boa, mas também não é de todo ruim não é fácil. Muitas pessoas se acomodam em uma situação pessoal, profissional, emocional ou financeira inferior à que pode-

riam ter, mas não se movem para mudar isso. O desemprego, o subemprego, a má remuneração, as dívidas não deixam de ser modalidades de escravidão, e libertar-se exige planejamento, ação e paciência até colher os resultados.

2. Quando tudo parecia perdido, parte do povo quis cometer suicídio, outra parte cogitou voltar à escravidão e uma terceira pediu a cabeça do líder. Nessa hora, Moisés mostrou fé em Deus, passando a orar. Aqui já temos algumas lições positivas. Como vimos na Lei da Fé, ao pedir ajuda a Deus, Moisés recebeu uma resposta divina dura: "Por que clamas a mim? Fala aos filhos de Israel que marchem." O ensinamento é que existe o momento de se recolher em oração e o momento de entrar em ação. O mar se abre para quem marcha em sua direção.

3. Sair da situação de acomodação e escravidão exige enfrentar uma série de obstáculos. Moisés e o povo de Israel enfrentaram a própria acomodação, o faraó, seu exército, o mar, o deserto, um longo período de peregrinação e, por fim, os povos que habitavam a Terra Prometida. Não foi pouca coisa, mas valeu a pena. Como sempre lembramos aos alunos nas palestras sobre como passar em provas e concursos: "Toda Terra Prometida tem um deserto antes."

Se você quer "uma terra que mana leite e mel" (Êxodo 33:3), prepare-se para uma longa jornada. Dá trabalho e leva tempo, mas compensa.

"Sendo o fim doce, que importa que o começo amargo fosse?"
William Shakespeare

4

A Lei da Aflição Premiada

"A tribulação produz perseverança."
Romanos 5:3b

Não há nada de convidativo na palavra aflição. Mas sem uma boa dose dela raramente alguém consegue grandes conquistas. Os atletas entendem bem o significado da frase "*No pain, no gain*". Ou seja, sem dor, sem ganho. A aflição simboliza o longo período de dificuldades, sofrimentos e frustrações até que os resultados de nossos esforços possam ser percebidos e premiados.

Como o mercado é duro e exigente, muitas vezes somos obrigados a suportar situações desagradáveis. Mas precisamos acreditar que esse esforço será reconhecido e recompensado. No plano espiritual, o desenvolvimento de nossas habilidades depende da superação de desafios, e a aflição que enfrentamos tem, muitas vezes, um forte conteúdo didático. Para nos treinar, nosso sócio mais experiente, Deus, coloca obstáculos no meio do caminho que precisamos transpor.

A história de Jacó, contada nos capítulos 25 a 49 do Gênesis, traz importantes lições a respeito da Lei da Aflição Premiada. Jacó foi um empregado injustiçado e explorado pelo sogro, Labão. O rapaz tolerou todos os problemas pelo amor de Raquel, a filha mais nova de Labão, como o poeta Luís de Camões eternizou no soneto "Sete anos de pastor":

"Sete anos de pastor Jacó servia
Labão, pai de Raquel, serrana bela;
Mas não servia ao pai, servia a ela
E a ela só por prêmio pretendia."

Jacó, porém, acaba sendo enganado pelo pai de Raquel. Embora tivesse combinado que trabalharia sete anos pelo "dote" da amada, passado esse tempo, Labão lhe dá a filha mais velha, Lia, em casamento. Esperto, o sogro força Jacó a trabalhar outros sete anos pelo direito de casar com sua favorita. O pastor aceita o sacrifício e, como dizem os versos de Camões, "Mais servira, se não fora para tão longo amor tão curta a vida!".

A contenda entre Jacó e Labão serve para alertar sobre a importância de discutir e documentar todos os acordos que você fizer. Não tenha medo nem vergonha de detalhar as condições de um contrato e, em especial, de prever cláusulas para resolver eventuais problemas futuros (o famoso *way out*, ou seja, como desfazer um negócio ou parceria em caso de litígio ou desavença). Se Jacó fosse mais cauteloso na hora de combinar o dote, não teria sido enganado.

Porém, vale a pena dizer que Jacó já tinha sido o espertalhão antes, enganando o pai e o irmão. Isso é bem interessante: um dia todo malandro depara com alguém mais esperto que ele. Um dos problemas dos espertalhões é que eles pensam que todo mundo é bobo, até que alguém lhes passa a perna. Ou então acabam sendo desmascarados e as pessoas deixam de fazer negócio com eles. Não compensa.

Quanto a Jacó, depois de cumprir 14 anos de serviços pelas duas filhas de Labão, ele continuou trabalhando outros seis com o sogro num regime de parceria rural, até que resolveu ir embora. Na ocasião, ele já era mais rico que Labão. E por que isso aconteceu? O sogro parou de trabalhar, deixando que Jacó cuidasse de tudo. O caso de Labão é o de quem, com o tempo, sai da situação de sucesso para a de fracasso; alguém que se acomoda e paga um alto preço por isso.

É bom lembrar que sucesso e fracasso se aplicam às situações, e não aos indivíduos. Nunca diga "Eu sou um fracasso", e sim "Este negócio foi um fracasso" ou "Fracassei nesta empreitada". Não encare seus tombos como o fim do mundo, e sim como oportunidades de aprender algo novo. Também não saia por aí dizendo "Eu sou um sucesso". Embora tenha sido bem-sucedido aqui ou ali, não seja arrogante, pois a situação pode mudar a qualquer instante. Tanto os bons quanto os maus momentos passam. Nunca perca de vista que é Deus quem nos dá forças para adquirir riquezas.

O problema que aconteceu com Labão é comum na vida de muitos donos de empresas que conhecemos. Mal a empresa começa a dar dinheiro, eles deixam tudo na mão de um gerente e vão à praia. Se o gerente for desonesto, a queda será rápida. Mas, ainda que o profissional no comando seja íntegro, o dono não pode se ausentar dos negócios. Afinal, como diz o ditado, "o olho do dono é que engorda o gado".

Se todo o conhecimento se concentrar nas mãos do gerente, a empresa ficará numa situação vulnerável, pois ele pode receber um convite da concorrência, querer ir embora por motivos pessoais ou decidir abrir o próprio negócio. Uma forma de lidar com o natural desejo de crescimento do gerente é lhe dar participação nos resultados. Contudo, por mais que o empresário cuide bem dos funcionários, não há como evitar o risco de perdê-los. Aqui se aplica a sabedoria dos preceitos bíblicos: "Procura conhecer o estado das tuas ovelhas; põe o teu coração sobre os teus rebanhos" (Provérbios 27:23); "Se por preguiça você deixar de consertar o telhado de sua casa, ele acabará ficando cheio de goteiras, e a casa cairá" (Eclesiastes 10:18).

COMO LIDAR COM SITUAÇÕES DE EXPLORAÇÃO

Estudos importantes mostram que as empresas mais longevas são as que atuam de modo justo com funcionários e clientes. No livro *Feitas para durar*, Jim Collins e Jerry Porras, assessorados por uma equipe de vinte pesquisadores da Universidade Stanford, compararam um conjunto de empresas excepcionais, que resistiram ao teste do tempo e se mantêm no topo, com outras que não chegaram tão longe. As empresas feitas para durar, consideradas visionárias, têm uma cultura forte que norteia suas ações, ao mesmo tempo que investem em progresso, melhorias e inovação. "Uma empresa visionária cria um ambiente completo que cerca os empregados, bombardeando-os com um conjunto de sinais tão consistentes, fortalecendo uns aos outros, que se torna praticamente impossível confundir a ideologia e as ambições da empresa", explicam os autores.

Também percebemos que, boa parte das vezes, quem explora os outros, assim como Labão, acaba se dando mal. Explorar o próximo não é um processo duradouro. Há exceções? Há quem explore os outros e passe toda a vida "bem"? Sim, mas acreditamos que essas são as exceções e que a regra é que um sistema como esse não traz bons frutos. Talvez, se Labão tivesse construído um relacionamento saudável com Jacó, em vez de explorá-lo, o final dessa história tivesse sido diferente.

Contudo, durante a relação de parceria que eles tiveram, Labão criou um ambiente de insatisfação que resultou no rompimento. Veja o que Jacó disse para as esposas, Lia e Raquel, filhas de Labão: "Vós mesmas sabeis que com todo empenho tenho servido a vosso pai; mas vosso pai me tem enganado e por dez vezes me mudou o salário; porém Deus não lhe permitiu que me fizesse mal nenhum" (Gênesis 31:6-7).

Cada vez que Labão mudava o salário de Jacó, no intuito de se dar bem e lucrar mais, estava solapando a relação de confiança entre os dois, a *affectio societatis*, ou seja, a disposição de manter uma sociedade. O termo jurídico se refere a sócios, mas o usamos aqui na relação entre chefe e funcionário pois ele traduz bem a ideia de desejo de se dar continuidade a qualquer tipo de relação comercial e profissional, seja como fornecedor, cliente, empregado ou patrão. Jacó foi tolerante ao extremo até que resolveu dar um basta à situação de exploração que vivia. Afinal, ele sabia administrar os negócios melhor do que o sogro. O maior prejudicado pelo término da parceria foi o pai de Raquel, que perdeu um trabalhador leal e eficiente.

Jacó imputou a Deus não ter sido espoliado totalmente. Podemos afirmar que Deus de fato realiza esse tipo de intervenção, premiando quem é fiel a ele. Mas, mesmo que deixássemos de lado a intervenção divina, é inegável que o trabalho por si só tem um poder transformador e que as pessoas sempre vão tirar algum proveito do que aprenderam, mesmo que não estejam sendo valorizadas ou recebendo o que é justo.

Uma das grandes frustrações de Labão foi ter ficado longe das filhas e dos netos quando Jacó foi embora. O problema é que ele foi o responsável pelo que ocorreu. O seguinte trecho serve de alerta: "Aquele que abrir uma cova, nela cairá; e quem romper um muro, uma cobra o morderá" (Eclesiastes 10:8). A Lei da Semeadura mostra aqui toda a sua força. Labão colheu o que plantou, inclusive o afastamento das duas filhas. Se ele não tivesse enganado o genro e lhe imposto o casamento com Lia, Jacó não teria partido ou, ao fazê-lo, teria levado apenas Raquel.

Como essa história exemplifica bem, profissionais competentes também passam por provações em sua carreira. Ao suportar grandes pressões, podemos nos transformar em diamante. Ser explorado ou humilhado é uma experiência terrível, mas que pode nos estimular a construir bases mais sólidas e buscar metas ainda mais desafiadoras. Precisamos estar preparados para as inevitáveis injustiças da vida, pois nem sempre os ventos estarão a nosso favor. Devemos usar as dificuldades para nos fortalecer.

Em *A arte da prudência*, o escritor Baltasar Gracián, que influenciou pensadores e filósofos, recomenda saber esperar: "Um grande coração tem mais capacidade de suportar o sofrimento. Nunca se deixa levar pela pressa nem pelas paixões. Deve-se caminhar pelos espaços abertos do tempo até o centro da oportunidade." Jamais abra mão de seus valores: seja honesto, íntegro, simpático. Trate os outros como gostaria de ser tratado, dê mais do que precisa dar, não defraude ninguém, seja tolerante, competente e trabalhador. Esteja pronto para enfrentar injustiças e aflições. Não é que você deva se acomodar e aceitar ofensas, exploração, assédio moral ou sexual. Tome as providências cabíveis para se defender de atitudes ilegais e, se for o caso, peça demissão e entre com uma ação judicial. Mas também tome cuidado para não ser impaciente demais e vir a ser considerado cheio de "não me toques".

O Livro Sagrado traz um desafio de resistência e coragem: "Se te fatigas correndo com homens que vão a pé, como poderás competir com os cavalos? Se tão somente numa terra de paz estás confiado, como farás na enchente do Jordão?" (Jeremias 12:5).

"O rio atinge seus objetivos porque
aprendeu a contornar obstáculos."
Lao-Tsé

5

A Lei do Jardim

"Onde quer que eu faça celebrar o meu nome, virei a vocês e os abençoarei."
Êxodo 20:24b

Floresça onde você foi plantado. Como dizia o poeta: "O segredo é não correr atrás das borboletas... É cuidar do jardim para que elas venham até você." Faça seu jardim ficar mais bonito, qualquer que seja ele. As borboletas virão. Algumas vezes para melhorar seu salário ou posição, em outras para convidá-lo a ser jardineiro em outro lugar.

Em qualquer caso, seu sócio especial e único, Deus, estará acompanhando você. De acordo com a Lei do Treinamento, se Deus não muda as circunstâncias, ele pode estar querendo mudar você ou, então, lhe dar o privilégio de servi-lo. Nesse caso, é preciso que você se disponha a fazer um bom trabalho onde está, confiando em Deus, pois no momento certo ele vai providenciar a mudança. Afinal, Deus "muda os tempos e as estações; ele remove os reis e estabelece os reis; ele dá sabedoria aos sábios e conhecimento aos entendidos" (Daniel 2:21).

Você não está proibido de buscar lugares melhores para trabalhar ou novas oportunidades de crescimento, mas reflita um pouco se Deus não o colocou onde está para cumprir uma missão, fazer o melhor por outras pessoas e defender os princípios e valores eternos.

A Lei do Jardim tem uma dimensão espiritual de resignação e serviço, mas não prega a acomodação. O que se espera é que o profissional não deseje o tempo todo estar em um lugar diferente, que não considere a grama do vizinho sempre mais verde e fique pulando de galho em galho, o que pode prejudicar sua motivação, concentração e produtividade.

Quando o povo de Israel foi para o exílio, Jeremias, profetizando em nome de Deus, mandou que as pessoas trabalhassem pelo bem do lugar aonde iriam. Repare: elas estavam indo como escravas! Analisando duas traduções diferentes da Bíblia para a mesma passagem de Jeremias 29:7, compreendemos a profundidade da mensagem:

> "Trabalhem para o bem da cidade para onde eu os mandei como prisioneiros. Orem a mim, pedindo em favor dela, pois, se ela estiver bem, vocês também estarão" (NTLH);
> "Procurai a paz na cidade, para onde vos desterrei e orai por ela ao Senhor; porque em sua paz vós tereis paz" (ALFALIT).

A compreensão de que Deus está no controle envolve aceitar que, se estamos em um determinado lugar, isso decorre daquilo que nós mesmos semeamos ou de uma decisão divina. Logo, nem que seja por submissão à vontade de Deus, precisamos estar bem ali. Se queremos mudar, o primeiro passo é compreender que qualquer planta, para ser transplantada, precisa estar forte. Quanto melhor você estiver no jardim onde foi colocado, mais fácil será crescer e, no futuro, terá mais chances de ser transferido para um terreno mais fértil.

É muito comum as pessoas dizerem que, se tivessem uma boa oportunidade, iriam se dedicar e fazer um excelente trabalho. Mas, enquanto esperam essa reviravolta do destino, elas não se esforçam nas suas tarefas cotidianas e perdem a verdadeira chance de provar seu talento. Enquanto isso, pessoas empenhadas em mostrar serviço no lugar em que estão logo se destacam. Curiosamente, é para esse segundo grupo que as melhores oportunidades aparecem.

LEI DO JARDIM X MARKETING 3.0

A Lei do Jardim pode ser resumida da seguinte maneira: enquanto você estiver em um lugar, trabalhe para torná-lo melhor. Essa ideia está de acordo com os conceitos apregoados pelo grande guru do marketing, Philip Kotler.

Kotler afirma que o marketing hoje em dia está centrado em valores e no ser humano e mostra a evolução que aconteceu no mercado. O Marketing 1.0, da época da Revolução Industrial, tinha como objetivo "vender produtos". Depois veio a era da Tecnologia da Informação e o Marketing 2.0, centrado em "satisfazer e reter consumidores". Atualmente, segundo ensina Kotler, estamos no Marketing 3.0, cujo foco é "fazer do mundo um lugar melhor".

No Marketing 1.0, todo o trabalho das empresas se concentrava no produto; no Marketing 2.0, no consumidor; e, por fim, no Marketing 3.0, o foco passou a ser nos valores. As empresas viam os mercados como compradores de massa, depois como pessoas inteligentes, dotadas de coração e mente, e, por fim, como seres humanos plenos, com coração, mente e espírito.

Ainda nessa linha, o conceito de marketing vem evoluindo de mero "desenvolvimento de produto" para diferenciação e, mais uma vez, "valores". A proposição de valor evoluiu de meramente funcional, no 1.0, para funcional, emocional e espiritual, no 3.0. A interação com consumidores atualmente é pensada na ação de "um para muitos".

Veja o quadro a seguir:

Comparação entre Marketing 1.0, 2.0 e 3.0

	Marketing 1.0 (centrado no produto)	**Marketing 2.0 (voltado para o consumidor)**	**Marketing 3.0 (voltado para os valores)**
Objetivo	Vender produtos	Satisfazer e reter os consumidores	Fazer do mundo um lugar melhor
Forças propulsoras	Revolução Industrial	Tecnologia da Informação	Nova onda de tecnologia
Como as empresas veem o mercado	Compradores de massa, com necessidades físicas	Consumidor inteligente, dotado de coração e mente	Ser humano pleno, com coração, mente e espírito
Conceito de marketing	Desenvolvimento de produto	Diferenciação	Valores
Diretrizes de marketing da empresa	Especificação do produto	Posicionamento do produto e da empresa	Missão, visão e valores da empresa
Proposição de valor	Funcional	Funcional e emocional	Funcional, emocional e espiritual
Interação com consumidores	Transação do tipo "um para um"	Relacionamento "um para um"	Colaboração "um para muitos"

Fonte: Philip Kotler, *Marketing 3.0.* Rio de Janeiro: Ed. Campus/Elsevier

Se você levar esses conceitos para sua atuação profissional, vai se destacar não só por estar antenado com as ideias mais modernas de marketing produzidas até hoje, mas também por estar em sintonia com a sabedoria milenar da Bíblia, que investe acima de tudo em pessoas e valores.

"Viver não é esperar a tempestade passar.
É aprender a dançar na chuva."
Vivian Greene

6

A Lei da Qualidade Máxima

"Vós, servos, obedecei a vossos senhores segundo a carne, com temor e tremor, na sinceridade de vosso coração, como a Cristo. Não servindo à vista, como para agradar aos homens, mas como servos de Cristo, fazendo de coração a vontade de Deus. Servindo de boa vontade como ao Senhor, e não como aos homens. Sabendo que cada um receberá do Senhor todo o bem que fizer, seja servo, seja livre. E vós, senhores, fazei o mesmo para com eles, deixando as ameaças, sabendo também que o Senhor deles e vosso está no céu, e que para com ele não há acepção de pessoas."

Efésios 6:5-9

A Bíblia propõe um compromisso de qualidade máxima: trabalhar como se o destinatário do seu serviço fosse o próprio Deus. Ao criar um produto, atender um cliente, estudar ou trabalhar, seu foco deve ser esse sócio especial. Deus não exige que você seja um gênio das finanças nem um super-homem, mas espera que busque um padrão extraordinário de atitudes e conduta. Você deve cumprir suas tarefas com boa vontade, capricho e dedicação, independentemente de estar sendo observado por seu chefe ou de querer agradá-lo.

O texto bíblico na epígrafe menciona o termo "servos", mas, trazendo para a nossa realidade, podemos falar de empregados. De qualquer forma, não podemos perder de vista o sentido original: mesmo em uma relação de escravidão, a determinação era a de que se trabalhasse com dedicação e cuidado. Ainda que o patrão não fosse boa pessoa, o servo ou escravo devia se empenhar como se estivesse servindo a Jesus.

Hoje isso pode parecer absurdo. Os jovens que estão entrando no mercado de trabalho têm muito mais consciência de seus direitos e não estão dispostos - com razão - a trabalhar para maus chefes, que não sabem reconhecer seu esforço e talento, que os exploram ou humilham. Por outro lado, existe uma regra de conduta, de bom senso, de cordialidade e cumprimento de dever que continua funcionando: esteja você em que posição estiver, obedeça ao seu superior. Seja fiel a quem você serve, seja o governo, o dono da empresa em que você trabalha ou seu sócio majoritário num negócio. Às vezes o "patrão" será o contrato que você firmou: respeite o que foi combinado. Este princípio só não é válido se o seu chefe estiver exigindo que você faça algo errado, antiético ou desonesto.

Se você for servidor público, cumpra seu papel com dignidade. Na verdade, você não está trabalhando para o governo. O real destinatário de seu serviço é o próximo, a população de modo geral. Trabalhe para satisfazer um desejo sincero de fazer o melhor em prol de quem você tem a obrigação de servir. Pode parecer loucura, uma quebra de paradigma, mas imagine o que aconteceria se isso virasse regra.

Procure não usar seu chefe como desculpa para não trabalhar correta e produtivamente. Patrões e governos ruins não são justificativas para você não cumprir sua parte. Pense que seu contrato mais importante é com Deus. Os melhores resultados de tudo o que você faz em sua vida não virão dos seus superiores, serão fruto do que você planta como ética pessoal.

Um bom profissional, em especial um líder, sempre trabalha para algo maior do que ele mesmo. Seja para mudar o mundo, para fazer uma inovação ou para honrar a Deus, é preciso haver algum motivo grande para que coisas grandes possam vir a acontecer. Esse tipo de missão leva a pessoa a se superar. Não se faz nada com qualidade máxima se a pessoa pensar pequeno.

O livro *Sonho grande*, da jornalista Cristiane Correa, mostra como a busca por excelência e a cultura da meritocracia nortearam a bem-sucedida trajetória dos empresários brasileiros Jorge Paulo Lemann, Marcel Telles e Beto Sicupira. O trio ergueu o maior império da história do capitalismo brasileiro e ganhou enorme projeção no cenário mundial ao comprar três ícones da cultura americana: a cerveja Budweiser, a rede de lanchonetes Burger King e a marca de alimentos Heinz. A expressão que dá título ao livro foi usada por Lemann ao falar sobre a maneira como Harvard mudou sua visão de mundo, fazendo com que ambicionasse mais da vida: "As pessoas que me conhecem, que conhecem os meus negócios, sabem que eu sempre digo que 'ter um sonho grande dá o mesmo trabalho que ter um sonho pequeno.'"

Sonhe grande. Não importa se você está varrendo o chão, reconstituindo um dente, ministrando uma aula ou comandando uma grande corporação, busque a excelência. Melhor ainda, trabalhe como se estivesse fazendo isso para Deus. O resultado será que você caprichará muito mais. Para Deus, todo trabalho é digno, sagrado e útil: qualquer atividade, mesmo a mais humilde, deve ser valorizada e bem executada. Professores, consultores e especialistas das mais diversas áreas confirmam a extraordinária força de trabalhar por "algo maior do que você mesmo". E não há nada maior do que Deus ou mais importante do que servi-lo. Logo, a prática dessa lei revela não só um alto grau de elevação espiritual mas também de sofisticação do ponto de vista secular.

Quem serve de boa vontade será admirado e benquisto. Embora não se deva trabalhar em busca de reconhecimento, a verdade é que, cedo ou tarde, ele virá para quem se dedica de corpo e alma. A Lei da Qualidade Máxima tem dois efeitos imediatos:

- Um prêmio secular, pois, ao aplicá-la, você alcançará um patamar superior de excelência;
- Uma promessa divina, pois do ponto de vista religioso você

estará sendo fiel e obediente a Deus, e isso nunca passa despercebido aos olhos do Pai.

Além disso, você receberá uma premiação que não tem preço: a consciência tranquila e o senso de dever cumprido.

QUALIDADE MÁXIMA NO COMANDO

Quem está no topo da escala hierárquica também deve se comportar em relação aos subordinados como se estivesse lidando com Deus ou com seu Filho, Jesus. Um dono de empresa ou gerente que tivesse Jesus como empregado iria tratá-lo com grosseria e desprezo ou descumprir seus direitos trabalhistas? Cremos que não. Seguindo a recomendação bíblica, não se deve agir desse modo com ninguém. No trecho de Efésios citado na abertura deste capítulo, recomenda-se que os senhores, ou seja, os patrões, também ajam dessa forma com seus empregados. O texto é bem claro ao advertir os chefes de não fazer ameaças nem acepção de pessoas, ou seja, não privilegiar uns em detrimento de outros em função de classe social, títulos etc.

Se você é gerente, diretor ou dono de empresa e acha que pode fazer o que bem entender com seus funcionários, lembre-se de que lá em cima existe um patrão que é superior a você. Mesmo se você não crê na existência de Deus, é capaz de perceber que tratar bem os empregados trará mais motivação e comprometimento da parte deles.

Algumas pessoas acham que cônjuges, filhos, alunos ou empregados precisam ser tratados com excesso de rigor e autoridade, pois, caso contrário, "eles vão abusar". É uma tese. E você tem direito a acreditar nisso porque todo mundo tem o direito de errar. O problema é que você sofrerá as consequências desse tipo de comportamento equivocado.

Os superiores têm plena liberdade de agir como quiserem com

seus subordinados? Claro que não. Os limites são os deveres legais, de tratamento digno e justo para com os funcionários. A Lei da Qualidade Máxima vai além da justiça dos homens e recomenda que o chefe trate seus empregados como trataria Jesus. Mas se o dono da empresa, executivo ou gerente aplicar a Regra de Ouro e "tratar os outros como gostaria de ser tratado", já estaremos muito bem conversados.

Não importa se está no topo, no meio ou na base da pirâmide, você deve agir de forma respeitosa em todas as suas relações comerciais e profissionais. Trate bem seu chefe, trate bem seus funcionários, trate bem seus sócios, clientes e fornecedores. Mas não faça isso para agradar os outros nem para puxar o saco. Tenha sempre em mente que, na verdade, você é seu patrão. É como se você fosse uma empresa e trabalhasse para ela crescer. Esse foi o tema de um artigo da revista *Exame* intitulado "Você S.A.", que de tão acertado acabou dando origem a uma revista autônoma.

QUALIDADE MÁXIMA X QUALIDADE MÍNIMA

E se você desprezar o outro? E se ignorar a Lei da Qualidade Máxima? Com certeza, sofrerá as consequências da Lei da Semeadura, também conhecida como Lei do Retorno: "Aquele que faz injustiça receberá em troco a injustiça feita" (Colossenses 3:25). O mundo é pequeno, redondo e dá voltas... Não se esqueça disso quando pensar em tratar mal alguém.

O ideal é que você possa repetir, como Paulo: "A ninguém tratamos com injustiça, a ninguém corrompemos, a ninguém exploramos" (2 Coríntios 7:2b). Não é possível crescer dentro de um parâmetro bíblico explorando os outros. Não vale a pena trilhar as veredas da injustiça – agir assim só gera ressentimento e desejo de vingança nas pessoas, além de destruir qualquer empresa ou equipe.

Este tema não se esgota em ser honesto com os outros. A forma como tratamos colegas e subordinados também conta. Salomão alerta que "a resposta calma desvia a fúria, mas a palavra ríspida desperta a ira" (Provérbios 15:11), que "o coração ansioso deprime o homem, mas uma palavra bondosa o anima" (Provérbios 12:25), que "dar uma resposta apropriada é motivo de alegria, e como é bom um conselho na hora certa" (Provérbios 15:23) e que "a doçura dos lábios aumenta o saber" (Provérbios 16:21). Se você quer ter uma equipe mais produtiva, aprenda a se comunicar melhor.

Até mesmo quem não acredita na existência de um Deus justo deve tomar cuidado com seus atos. Além das consequências espirituais, existem as ações trabalhistas, os prejuízos decorrentes da alta rotatividade de empregados e até mesmo a sabotagem de funcionários ressentidos, desmotivados e descomprometidos. Isso sem falar na imagem negativa que atitudes injustas, grosseiras e antiéticas podem trazer para você ou para sua empresa. Ninguém consegue esconder o que realmente é de todos e para sempre.

Os empresários, executivos e gerentes não podem se esquecer de um importante princípio de marketing, que diz que a satisfação dos clientes é diretamente proporcional à dos seus funcionários: "Se você quer descobrir quanto os seus clientes estão satisfeitos com a sua empresa, basta verificar quanto os seus funcionários estão satisfeitos com a sua empresa." Assim, sugerimos que você avalie, quem sabe até por meio de terceiros e/ou de pesquisas, o que os membros da sua equipe realmente pensam a seu respeito e a respeito da sua empresa.

Se quiser levar a Qualidade Máxima para além da sua vida profissional, peça a seu cônjuge, seus filhos e amigos que digam com absoluta sinceridade o que pensam de você. Prepare-se para lidar com as respostas e fazer ajustes que o ajudem a evoluir como pessoa.

"A vida é uma pedra de amolar: desgasta-nos ou afia-nos, conforme o metal de que somos feitos."
George Bernard Shaw

7

A Lei da Milha Extra

"Se alguém o ferir na face direita, ofereça-lhe também a outra. E se alguém quiser processá-lo e tirar-lhe a túnica, deixe que leve também a capa. Se alguém o forçar a caminhar com ele uma milha, vá com ele duas. Dê a quem lhe pede, e não volte as costas àquele que deseja pedir-lhe algo emprestado."

Mateus 5:39b-42

Um empreendimento de sucesso não se constrói com as pessoas se limitando a fazer o "feijão com arroz". O trivial, a obrigação, aquilo que todo mundo faz (ou deve fazer) é só o ponto de partida. Empresas e profissionais extraordinários são aqueles que vão além, superando as expectativas.

É exatamente disso que trata a Lei da Milha Extra. O preguiçoso e o desleixado estão sempre uma milha atrás, a média das pessoas está na milha exata – ou seja, só faz o que tem obrigação de fazer –, mas o profissional acima da média está uma milha à frente.

No versículo em epígrafe, Jesus falava sobre como lidar com pessoas ruins, que obrigavam as outras a fazerem o que não queriam. Mesmo nesse caso, Cristo recomendava que se surpreendesse a outra parte, indo além do esperado. Independentemente de cobrança ou obrigação, a disposição de entregar mais do que foi pedido ou contratado pode ser muito vantajosa no mundo dos negócios.

Em seu livro *Faça o que tem de ser feito – e não apenas o que lhe pedem*, o consultor Bob Nelson explica que essa postura proativa é a marca da excelência profissional e o diferencial que todo chefe procura ao formar uma equipe. Como nem todas as empresas dizem claramente o que esperam de seus colaboradores, Bob Nelson resumiu a expectativa suprema dos empregadores: "Nós o contratamos para fazer um trabalho; porém, mais importante que isso, nós o contratamos para você pensar, usar seu discernimento e agir segundo o interesse da empresa em todos os momentos. Faça sempre o que tem de ser feito, não espere que lhe peçam."

Napoleon Hill toca na mesma tecla em *A Lei do Triunfo*: "Se você quer se destacar em sua área de atuação, precisa criar o saudável hábito de andar a milha extra: sempre fazer mais do que lhe pedem, sempre fazer mais do que é obrigado a fazer. Do contrário, você será apenas uma pessoa mediana, igual a tantas outras." De acordo com ele, há dois tipos de pessoas que não vão para a frente:

1. Aquelas que não fazem o que lhes é pedido;
2. Aquelas que só fazem o que lhes é pedido.

Quem não se impressiona com o profissional que, quando já poderia ir embora, entregar o produto ou finalizar o serviço, dá mais uma conferida em tudo? Alguém que arremata seu trabalho com algo a mais, indo além do dever?

Prometa menos e entregue mais. Esse é um diferencial de excelência que todos podem praticar, mas poucos o fazem. Espero que você seja um dos poucos.

"NÃO É MINHA OBRIGAÇÃO"

Ninguém suporta empregados e empresas que fogem daquilo que poderiam fazer simplesmente alegando: "Não é minha obrigação." As organizações que prestam bons serviços se destacam por ter funcionários que se esforçam para resolver o problema dos clientes, sem se limitarem às suas obrigações. Isso cria uma percepção de valor inestimável para o consumidor.

Na parábola do Bom Samaritano, no capítulo 10 do Evangelho de Lucas, Jesus conta a história de um samaritano – grupo discriminado pelos judeus por não ter sangue unicamente hebreu – que socorre um homem ferido numa estrada. Pouco antes, um sacerdote e um levita, ou seja, dois religiosos, passaram pelo homem caído e quase morto e não fizeram nada para ajudá-lo.

Era obrigação deles socorrer um desconhecido? A parábola é a resposta de Jesus à pergunta de um mestre da lei que tenta colocá-lo à prova: "Mestre, o que preciso fazer para herdar a vida eterna?" Cristo explica: "'Ame o Senhor seu Deus de todo o seu coração, de toda a sua alma, de todas as suas forças e de todo o seu entendimento' e 'Ame o seu próximo como a si mesmo'." Para justificar-se, o mestre da lei, o questiona: "E quem é o meu próximo?" Veja o que diz Jesus:

> "Um homem descia de Jerusalém para Jericó, quando caiu nas mãos de assaltantes. Estes lhe tiraram as roupas, espancaram-no e se foram, deixando-o quase morto. Aconteceu estar descendo pela mesma estrada um sacerdote. Quando viu o homem, passou pelo outro lado. E assim também um levita; quando chegou ao lugar e o viu, passou pelo outro lado. Mas um samaritano, estando de viagem, chegou onde se encontrava o homem e, quando o viu, teve piedade dele. Aproximou-se, enfaixou-lhe as feridas, derramando nelas vinho e óleo. Depois colocou-o sobre o seu próprio animal, levou-o para uma hospedaria e cuidou dele. No dia seguinte, deu dois denários ao hospedeiro e disse-lhe: 'Cuide dele. Quando voltar, lhe pagarei todas as despesas que você tiver.' Qual destes três você acha que foi o próximo do homem que caiu nas mãos dos assaltantes?" (Lucas 10:30-36)

A parábola termina com o perito da lei admitindo: "Aquele que teve misericórdia dele." E Jesus faz uma simples recomendação:

"Vá e faça o mesmo." Essa história traz importantes lições que podem ser aplicadas na carreira, mas que, na verdade, nos ensinam a ser pessoas melhores. Por ironia do destino, foi o samaritano, que não gozava de prestígio na sociedade da época, quem demonstrou misericórdia, solidariedade e generosidade. E o mais curioso ainda é que tudo indica que ele era um homem de posses, talvez até um empresário, mas ele aplicou as leis da sociedade com Deus melhor do que os dois que se apresentavam como religiosos.

O bom samaritano seguia várias das leis do sucesso e se preocupava com os outros. Ele era precavido e trazia consigo vinho e óleo. Também era organizado e tinha um bom planejamento da vida. Provavelmente viajava com tempo, por isso pôde ir até a estalagem e ficar um dia lá. Ele pagou antecipado o equivalente a duas diárias e, como era um homem de confiança, o dono da estalagem aceitou colocar futuros gastos na conta dele para serem pagos depois.

Essa história fantástica sobre misericórdia e amor ao próximo teve, como pano de fundo, um homem de posses, organizado e de confiança. Apesar de sua boa condição, ele se importou com um desconhecido ferido e cuidou dele. O samaritano é um paradigma indicado por Jesus das qualidades que sugerimos em *As 25 leis bíblicas do sucesso* e nesta obra.

"Nós não somos o que gostaríamos de ser. Nós não somos o que ainda iremos ser. Mas, graças a Deus, não somos mais quem nós éramos."
Martin Luther King Jr.

8

A Lei do Empreendedorismo

"A insatisfação é o primeiro passo para o progresso de um homem ou de uma nação."
Oscar Wilde

Muitos jovens que conhecemos sonha em ganhar na loteria, herdar uma fortuna de um tio-avô desconhecido ou receber um convite para ser sócio ou gestor da empresa mais descolada do momento. Os jornais noticiam casos de sucesso meteórico de quem "estava no lugar certo na hora certa", e os filmes mostram casamentos de conto de fadas que mudam a vida das pessoas da noite para o dia, trazendo não só amor como também dinheiro.

Tudo isso faz muita gente acreditar que se daria bem se a sorte lhe sorrisse ou se Deus fizesse algum milagre. Infelizmente, esse tipo de comportamento acaba provocando certo imobilismo e, em vez de as pessoas semearem oportunidades e se prepararem para colher os resultados futuros, ficam à espera de que algo caia do céu.

Quantas pessoas não se sairiam bem e teriam êxito se tivessem coragem de agir, experimentar, se arriscar? E mesmo que não tivessem sucesso de imediato, não seria melhor tentar e fracassar do que ficar paralisado? A resposta, mais uma vez, está na Bíblia, numa de suas histórias mais conhecidas e estudadas, a parábola do

Filho Pródigo, sobre um jovem insatisfeito com a vida na fazenda do pai que pega sua parte do dinheiro e vai em busca de novos desafios pessoais e profissionais.

Eis a história contada por Jesus:

> "Um homem tinha dois filhos. O mais novo disse ao seu pai: 'Pai, quero a minha parte da herança.' Assim, ele repartiu sua propriedade entre eles. Não muito tempo depois, o filho mais novo reuniu tudo o que tinha, e foi para uma região distante; e lá desperdiçou os seus bens vivendo irresponsavelmente.
>
> Depois de ter gasto tudo, houve uma grande fome em toda aquela região, e ele começou a passar necessidade. Por isso foi empregar-se com um dos cidadãos daquela região, que o mandou para o seu campo a fim de cuidar de porcos.
>
> Ele desejava encher o estômago com as vagens de alfarrobeira que os porcos comiam, mas ninguém lhe dava nada. Caindo em si, ele disse: 'Quantos empregados de meu pai têm comida de sobra, e eu aqui, morrendo de fome! Eu me porei a caminho e voltarei para meu pai, e lhe direi: Pai, pequei contra o céu e contra ti. Não sou mais digno de ser chamado teu filho; trata-me como um dos teus empregados.' A seguir, levantou-se e foi para seu pai.
>
> Estando ainda longe, seu pai o viu e, cheio de compaixão, correu para seu filho, e o abraçou e beijou. O filho lhe disse: 'Pai, pequei contra o céu e contra ti. Não sou mais digno de ser chamado teu filho.'
>
> Mas o pai disse aos seus servos: 'Depressa! Tragam a melhor roupa e vistam nele. Coloquem um anel em seu dedo e calçados em seus pés. Tragam o novilho gordo e matem-no. Vamos fazer uma festa e comemorar. Pois este meu filho estava morto e voltou à vida; estava perdido e foi achado.' E começaram a festejar.
>
> Enquanto isso, o filho mais velho estava no campo. Quando se aproximou da casa, ouviu a música e a dança. Então chamou

um dos servos e perguntou-lhe o que estava acontecendo. Este lhe respondeu: 'Seu irmão voltou, e seu pai matou o novilho gordo, porque o recebeu de volta são e salvo.'

O filho mais velho encheu-se de ira, e não quis entrar. Então seu pai saiu e insistiu com ele. Mas ele respondeu ao seu pai: 'Olha! todos esses anos tenho trabalhado como um escravo ao teu serviço e nunca desobedeci às tuas ordens. Mas tu nunca me deste nem um cabrito para eu festejar com os meus amigos. Mas quando volta para casa esse seu filho, que esbanjou os teus bens com as prostitutas, matas o novilho gordo para ele!'

Disse o pai: 'Meu filho, você está sempre comigo, e tudo o que tenho é seu. Mas nós tínhamos que comemorar e alegrar-nos, porque este seu irmão estava morto e voltou à vida, estava perdido e foi achado.'" (Lucas 15:11-32)

Essa parábola, que talvez devesse se chamar "Dois filhos perdidos", traz os mais diversos ensinamentos, mostrando erros e acertos dos dois rapazes. Em geral, as pessoas acham que o filho que partiu era o mau e o que ficou o bonzinho, mas não é bem assim.

O FILHO MAIS NOVO X O FILHO MAIS VELHO

O caçula tinha várias características comuns à humanidade. Ele estava insatisfeito e desejava mais da vida. Muitas pessoas se sentem assim, sendo que algumas se acomodam e outras tomam uma atitude. O filho pródigo era do grupo que não se acomodava. Ponto para ele.

O problema foi que o rapaz, embora fosse filho de um grande e experiente empresário, não se preparou para os desafios que teria pela frente. Não se aconselhou com o pai nem tentou aprender com ele como administrar sua riqueza, escolher bons sócios e distinguir os falsos amigos dos verdadeiros. Do alto de sua arrogância, simplesmente pediu sua parte do dinheiro e foi embora.

A falta de disciplina financeira e de habilidade para negociar fez com que perdesse tudo. Quando há dinheiro de sobra e uma situação de mercado favorável, ninguém vê suas próprias vulnerabilidades. O sucesso mascara nossas fraquezas. Quem está na crista da onda corre o risco de confiar demais em si mesmo e descuidar dos fundamentos que o levaram a chegar ao topo. Warren Buffett, um dos homens mais ricos do mundo, diz que "quando a maré baixa é que nós vemos quem está pelado".

O jovem herdeiro, com certeza, estava nadando pelado. Ele não teve a sabedoria de buscar conhecimento antes de sair em busca de seus sonhos e, pior ainda, ofendeu o pai, desperdiçou sua fortuna e envolveu-se com pessoas interesseiras. Mas, apesar dos seus erros, tinha características úteis para vencer na vida. Ele era um empreendedor – e são os empreendedores que mudam o mundo. O filho pródigo traçou um plano e foi à luta: pediu sua herança e saiu de casa para tentar a sorte. Não fez isso da melhor forma, pois desrespeitou o pai e foi arrogante, mas pelo menos não ficou na inércia, reclamando da vida.

Quando tudo deu errado, ele não entrou em depressão nem ficou se lamuriando. Foi trabalhar para sobreviver. Não deixa de ser algo digno de mérito. Além disso, quando estava no meio dos porcos, com fome, infeliz, derrotado e certamente remoendo todos os erros que cometera, mais uma vez não se entregou. Traçou de novo um plano e o executou.

Sua disposição de enfrentar as dificuldades em busca da realização fez com que aprendesse, evoluísse e, apesar de ter ido parar num chiqueiro, descobrisse que "era feliz e não sabia". Então, mais maduro e admitindo que falhou com o pai, ele resolveu aceitar humildemente uma posição subalterna mas ainda assim melhor do que aquela em que se encontrava.

Muitos ficariam o resto da vida se queixando, muitos desistiriam de tudo, muitos não aceitariam pedir uma vaga de empregado na fazenda do pai por conta do orgulho... mas não aquele moço. Ele entrou em ação outra vez. E quem vai à luta enfrenta situações boas e ruins e pode ter sorte ou azar. O filho pródigo deu a sorte de ser recebido pelo pai de um modo que ele jamais imaginara. Nem sequer um sermão ele teve que ouvir! Que pai era aquele? Um pai maravilhoso, um modelo inspirado com certeza no Pai Celestial.

Devemos aprender com os erros do filho pródigo, mas também com seus acertos. Seu empreendedorismo e sua coragem de se arriscar, fazer planos e tentar realizá-los o levaram a crescer como pessoa. Ao fim de uma longa jornada em busca da felicidade, ele voltou para o mesmo lugar de onde saíra, mas compreendeu o valor do que tinha.

O irmão mais velho, considerado por muitos a vítima da situação, era amargurado e rancoroso. Na verdade, Jesus contou essa parábola para falar das atitudes dele, de não perdoar os erros do caçula. Ele também ofendeu o pai, já que não respeitou suas decisões e não cumpriu seus deveres, recusando-se até mesmo a participar da festa para comemorar a volta do irmão.

O primogênito se sentia um escravo em sua casa, e não aproveitava o que o pai tinha. Reclamou que nunca tinha festejado com os amigos, e o pai se surpreendeu, argumentando que tudo o que ele tinha era dele também. Ou seja, o rapaz poderia ter festejado, não o fez porque não quis.

Do mesmo modo, muitas pessoas se sentem escravas, e não donas, do trabalho, do estudo ou de onde estão (casamento, empresa). É óbvio que isso prejudica não só a alegria de viver, mas também a produtividade. O pior é que quem age assim desperdiça as oportunidades que tem.

Olhando os dois filhos, reparamos que aquele que empreendeu, que tentou, que fez planos e foi buscar seus sonhos, mesmo errando e sofrendo, foi quem evoluiu. O mais velho não seguiu a Lei do Empreendedorismo. Pare e pense um pouco: você tem se comportado como um dos filhos da parábola? Procure não cometer os mesmos equívocos que eles.

EMPREGABILIDADE X EMPREENDEDORISMO

Existe uma diferença entre empregabilidade e empreendedorismo. Uma coisa é ter empregabilidade, ou seja, ser alguém com qualificação e habilidades desejadas pelo mercado, outra é ser empreendedor, que é estar disposto a iniciar novos negócios ou projetos e criar algo novo. Atualmente, todo empregado, em especial os líderes, devem ter iniciativa e capacidade de inovação. Contudo, nem todos serão empreendedores no sentido estrito do termo.

O mercado tem espaço tanto para bons empreendedores quanto para bons empregados. Existem muitos modelos diferentes de sucesso profissional, e nem todo mundo deseja, muito menos precisa, criar uma empresa mundial a partir de sua garagem.

Mesmo que você não seja um empreendedor, saiba que quem monta um negócio precisa de uma equipe para auxiliá-lo. Uma das formas de enriquecer é, justamente, ser quem ajuda o empregador. Se você não é o dono da empresa, mas possui qualificações úteis a ela, pode ter boas oportunidades de crescimento. Se você é um empreendedor, mas não tem as habilidades necessárias, vai precisar se associar a alguém com essas competências ou contratar quem as tenha. Em geral, o empreendedor não possui todas as qualidades de que precisa para fazer seu negócio decolar. Por isso, ele tem que aprender a avaliar pessoas, contratá-las e lidar com elas no dia a dia.

Você também pode ter como projeto de vida fazer um concurso público, uma pós-graduação ou um MBA. Em qualquer um desses casos, também vai precisar se associar a quem possa ajudá-lo ou fazer ajustes familiares para enfrentar o novo desafio.

Seja para empreender, seja para auxiliar quem empreende, é necessário ter atributos. Quais são os seus? De acordo com a Lei da Empregabilidade, apresentada no livro *As 25 leis bíblicas do sucesso*, o mercado de trabalho procura quem tem o seguinte conjunto de características:

1. Trabalhador
2. Competente
3. Honesto
4. Simpático
5. Leal/Confiável
6. Determinado/Persistente
7. Paciente
8. Humilde
9. Imbuído de espírito de equipe
10. Capaz de se adaptar às mudanças

O filho pródigo seguia a Lei do Empreendedorismo, mas não a da Empregabilidade. Tanto que, ao perder sua fortuna, não importa se por incapacidade ou pela onda de fome que assolou a região onde morava, teve dificuldade de arrumar uma boa colocação no mercado. Por fim, foi contratado como guardador de porcos, um emprego que não exigia grandes qualificações. Será que ele era trabalhador, competente, humilde e imbuído de espírito de equipe, por exemplo?

É lógico que nem sempre as empresas quebram por incompetência de seus donos ou gestores. Às vezes, os negócios dão "errado" por outros motivos, como crises, mudança dos tempos ou tecnologias, ou até azar mesmo. A melhor manufatura de chicote para cavalos deixou de ser lucrativa com a invenção do automóvel, assim como os fabricantes de máquinas de datilografia quebraram com o advento dos computadores.

Mas o fato é que até nas maiores crises, e talvez ainda mais nelas, as empresas precisam de gente talentosa e esforçada, que saiba motivar, produzir, criar, enfim, que tenha condições de reverter o quadro negativo. Que habilidades você possui? Você é uma daquelas pessoas que todo mundo procura para tirar dúvidas ou se aconselhar? Em geral, essas são as primeiras a serem promovidas e, numa crise, as últimas a serem demitidas.

A conclusão a que chegamos é que não adianta dar fortuna ou emprego para alguém que não adquiriu capacidade profissional. A Bíblia questiona: "De que serviria o preço na mão do tolo para comprar sabedoria, visto que não tem entendimento?" (Provérbios 17:16). Parafraseando, poderíamos perguntar: "De que serve o dinheiro ou o emprego na mão do tolo, se não tem entendimento?"

"A maior das lições de Noé é que teremos que navegar nos barcos que nós mesmos construirmos."
Walt Disney

9

A Lei do Registro Positivo

"O homem bom do seu bom tesouro tira coisas boas, e o homem mau do seu mau tesouro tira coisas más."
Mateus 12:35

A imagem que você deixa por onde passa se transforma ao longo da vida no seu maior patrimônio ou no seu maior problema. Se deixar registros positivos na mente das pessoas, elas vão se lembrar de você e isso pode trazer benefícios inesperados.

Na parábola do filho pródigo, que analisamos na lei anterior, o pai ansiava pelo retorno do caçula, tanto que ficava na varanda, mirando a estrada por onde ele partira, na expectativa de revê-lo.

E por que razão o rapaz resolve voltar? Porque ele tinha guardado na memória uma imagem positiva do pai, de um homem bom, que tratava todo mundo bem, inclusive seus empregados. Ao refletir sobre a generosidade do pai, em contraste com a avareza do dono dos porcos, o filho percebe o erro que cometeu: "Quantos empregados de meu pai têm comida de sobra, e eu aqui, morrendo de fome!" O pai nunca poderia imaginar que, ao agir de forma correta e boa com seus funcionários, estaria semeando o retorno do filho. José do Egito, como vimos na Lei do Treinamento, enfrentou todo tipo de adversidade ao longo de sua trajetória, mas nunca abandonou o caminho da integridade. Ele foi vendido como escravo pelos próprios irmãos, foi preso injustamente e, na cadeia, ajudou várias pessoas sem ter qualquer reconhecimento.

Numa ocasião, o copeiro-mor e o padeiro-mor do palácio, que tinham sido enviados para a prisão pelo faraó, tiveram sonhos que os deixaram perturbados. Diante de sua aflição, José se dispôs a interpretar seus sonhos. Confira a passagem do texto bíblico:

> "Então o chefe dos copeiros contou o seu sonho a José: 'Em meu sonho vi diante de mim uma videira, com três ramos. Ela brotou, floresceu e deu uvas que amadureciam em cachos. A taça do faraó estava em minha mão. Peguei as uvas, e as espremi na taça do faraó, e a entreguei em sua mão.'
>
> Disse-lhe José: 'Esta é a interpretação: os três ramos são três dias. Dentro de três dias o faraó vai exaltá-lo e restaurá-lo à sua posição, e você servirá a taça na mão dele, como costumava fazer quando era seu copeiro. Quando tudo estiver indo bem com você, lembre-se de mim e seja bondoso comigo; fale de mim ao faraó e tire-me desta prisão, pois fui trazido à força da terra dos hebreus, e também aqui nada fiz para ser jogado neste calabouço.'
>
> Ouvindo o chefe dos padeiros essa interpretação favorável, disse a José: 'Eu também tive um sonho. Sobre a minha cabeça havia três cestas de pão branco. Na cesta de cima havia todo tipo de pães e doces que o faraó aprecia, mas as aves vinham comer da cesta que eu trazia na cabeça.'
>
> E disse José: 'Esta é a interpretação: As três cestas são três dias. Dentro de três dias o faraó vai decapitá-lo e pendurá-lo numa árvore. E as aves comerão a sua carne.'" (Gênesis 40:9-19)

José, utilizando seu dom, acertou qual seria o destino de ambos. O chefe dos padeiros foi enforcado e o dos copeiros voltou a gozar de prestígio junto ao faraó, mas não demonstrou gratidão nem se lembrou de ajudar o companheiro da prisão. Porém dois anos depois, quando o faraó sonhou que sete vacas gordas subiam o rio e eram comidas por sete vacas magras que vinham atrás delas, o copeiro-mor lembrou-se das habilidades de José. O faraó mandou, então, chamar o prisioneiro, que interpretou corretamente seus sonhos e acabou se tornando o ministro do Egito.

Enfim, as pessoas podem brigar com você, traí-lo ou abandoná-lo, mas nunca se esquecerão daquilo que você deixar gravado na mente delas. Que registros você tem deixado na memória dos outros?

"Você existe apenas naquilo que faz."
Federico Fellini

10

A Lei da Liderança Amorosa

"E houve também entre eles contenda, sobre qual deles parecia ser o maior. E ele lhes disse: 'Os reis dos gentios dominam sobre eles, e os que têm autoridade sobre eles são chamados benfeitores. Mas não sereis vós assim; antes o maior entre vós seja como o menor; e quem governa como quem serve. Pois qual é maior: quem está à mesa, ou quem serve? Porventura não é quem está à mesa? Eu, porém, entre vós sou como aquele que serve.'"

Lucas 22:24-27

A capacidade de liderar é um dos atributos que mais farão diferença na jornada de um profissional. Todas as empresas e organizações precisam de líderes, mas principalmente daqueles que saibam usar seu carisma e seu poder para fazer o bem, para melhorar o mundo e não apenas em benefício próprio. A Lei da Liderança Amorosa vai um passo além da Lei da Liderança apresentada no livro anterior.

É preciso saber diferenciar os diversos tipos de líderes. Hitler foi um líder convincente e popular, capaz de arrebanhar milhões de pessoas em torno do nazismo e de seus planos expansionistas. Seu lema era "Um povo, um império, um líder". Sua liderança, porém, era movida pelo ódio. Outro exemplo de líder que só causou morte e destruição foi o reverendo Jim Jones, fundador da seita do Templo dos Povos. No fim dos anos 1970, ele comandou o suicídio em massa na comunidade de Jonestown, na Guiana – 918 pessoas morreram, a maioria por envenenamento, incluindo mulheres e crianças.

Liderança não significa apenas ser seguido, mas sim levar as pessoas a um lugar melhor. Liderança amorosa é, antes de tudo, a capacidade de servir, mais do que inspirar e comandar. Gandhi foi um grande líder. Martin Luther King Jr. foi um grande líder. Nelson Mandela foi um grande líder. Jesus foi o maior líder que já existiu e nos deixou um legado de histórias e ensinamentos sobre a liderança amorosa e servidora. O pai da parábola do Filho Pródigo, por exemplo, pode nos servir de modelo.

Confira algumas de suas características:

- Mostrava interesse genuíno pelas pessoas;
- Não se ofendia facilmente (nem com o caçula nem com o primogênito);
- Não "segurava" as pessoas; ao contrário, dava liberdade para que perseguissem seus sonhos;
- Não era apegado a dinheiro (liberou a herança do caçula embora legalmente ainda não fosse devida; usou o melhor bezerro para a festa; deixou claro que tudo que era dele era dos filhos);
- Era paciente;
- Sabia perdoar;
- Não ficava dando sermões nem humilhava quem errava;
- Sabia festejar as boas notícias;
- Lidava com seus liderados de acordo com o comportamento e a personalidade de cada um (ao filho mais novo, aguardou na varanda; ao mais velho, foi procurar do lado de fora da festa). Compreendia que não existe uma fórmula pronta para a boa convivência entre as pessoas;
- Não era egoísta;
- Preocupava-se mais com as pessoas do que com as coisas;
- Queria que o time (a família, a empresa) como um todo estivesse bem. Tinha espírito de equipe e incentivava os outros a ter esse espírito também.

Para Deus, liderança é uma missão importante, pois o líder tem papel de serviço e de formação das pessoas, em especial, de novos líderes.

A MISSÃO DE NEEMIAS

Neemias costuma ser citado como um dos personagens de sucesso da Bíblia, porém o que mais chama atenção na sua trajetória é a sua capacidade de liderança aliada à sua enorme disposição de se arriscar pelos outros.

Tivemos o privilégio de conversar sobre sucesso com o empresário Jorge Gerdau Johannpeter, presidente do conselho de administração do grupo Gerdau. Ele dividiu conosco várias lições de vida e disse que, se pudesse voltar no tempo, daria um conselho a si próprio: "Seja um líder servidor." Essa resposta demonstra a importância da liderança amorosa. Ele também defendeu que um grande líder deve se preocupar com todas as pessoas, e não apenas com as consideradas "mais importantes". Gerdau falou sobre a importância da sustentabilidade e dos valores da família. Até hoje, ele segue o conselho que ouviu dos pais: "Pague as contas sempre em dia, de preferência um dia antes do prazo, para evitar que algum imprevisto o impeça de pagá-las no prazo."

Para entender melhor esse personagem do Antigo Testamento, precisamos conhecer o cenário em que ele vivia. O povo de Judá tinha sido levado como escravo pelo rei da Babilônia. Após 70 anos de cativeiro, muitos retornaram para Jerusalém, porém estavam passando grandes dificuldades, já que a cidade estava destruída. A situação era desanimadora.

Neemias, no entanto, era um privilegiado, pois embora fosse um estrangeiro na Babilônia, um exilado, estava em posição social de destaque, pois era copeiro do rei Artaxerxes. Embora gozasse de boa condição, ele não estava satisfeito. Vivia inquieto, aflito, preocupado com a situação do seu povo, do seu país, da sua gente.

Resolveu, então, fazer algo inimaginável: abrir mão do seu cargo e do seu conforto para realizar um sonho.

Dizem que sorte é quando a oportunidade encontra alguém preparado. Há pessoas que nunca estão preparadas, razão pela qual raramente serão beneficiadas pelo acaso. No caso de Neemias, não estamos diante de uma hipótese de sorte, mas da providência divina. Mas também aqui houve a soma da oportunidade (dada por Deus) com a preparação. Neemias não foi ao rei pedir simplesmente para ir embora. Ele se preparou com cuidado para quando tivesse uma oportunidade (reunião) e por isso foi bem-sucedido ao expor a situação de Jerusalém e seu desejo de fazer algo por seu povo. O rei, então, concedeu tudo o que ele precisava para iniciar sua nova empreitada: deu cartas para passar livremente por todas as províncias até chegar a Judá e concedeu também autorização para retirar madeira para a obra de reconstrução de Jerusalém. Sem dúvida, o fato de o copeiro ter exercido com excelência sua função lhe deu crédito para conseguir o que queria.

Neemias demonstrou humildade ao abrir mão de um cargo confortável para ir a um lugar onde, segundo Aramis Brito Bezerra Júnior, no livro *Politicamente incorreto: o cristão e a missão integral do Evangelho*, "estava estabelecida a confusão, a dor, a opressão, o desânimo, a corrupção, o desmando, a falta de perspectiva". Só os verdadeiros líderes se arriscam em nome de uma causa ou de um novo desafio.

Para realizar a missão a que se propôs, Neemias teve que lidar com a inveja dos povos vizinhos, que tentavam a todo custo desanimá-lo. Mas ele não desistiu e se fortaleceu ainda mais como líder, motivando seu povo e conseguindo, no final, reconstruir os muros e as portas de Jerusalém.

O que nós podemos aprender com esse exemplo de liderança?

- Onde estiver, exerça sua função com excelência.
- Não se acomode quando estiver em uma alta posição.

- Quando estiver em situações de poder, não se esqueça das pessoas mais pobres ou necessitadas.
- Não tenha medo de ter sonhos ousados. Pense grande.
- Prepare-se para transformar seu sonho em realidade.
- Nunca faça uma reunião sem ter se preparado antes para ela.
- Seja humilde, não importa sua posição.
- Tenha coragem de ir atrás de seus objetivos.
- Encontre as pessoas que poderão ajudá-lo a mudar a realidade.
- Saiba lidar com a inveja: quanto maior seu sonho, maior a inveja que ele causará.
- Crie estratégias para lidar com os obstáculos.
- Desenvolva sua credibilidade.
- Seja um motivador de si mesmo e de sua equipe.

"Livrai-me, Senhor, de tudo aquilo que for vazio de amor."
Caio Fernando Abreu

11
A Lei da Integridade

"Bem-aventurados os puros de coração,
pois verão a Deus."
Mateus 5:8

Integridade é plenitude, estado ou característica daquilo que está inteiro. É também sinônimo de caráter, honestidade, retidão. Embora integridade e honestidade caminhem juntas, consideramos a integridade um passo além da honestidade. Uma pessoa honesta é algo raro e maravilhoso, mas alguns fazem mais do que isso: agem com nobreza, amizade e lealdade com todos. Para entender melhor essa virtude, podemos recorrer aos versos de Ricardo Reis, heterônimo de Fernando Pessoa: "Para ser grande, sê inteiro: nada / teu exagera ou exclui. / Sê todo em cada coisa. / Põe quanto és / no mínimo que fazes."

No mundo corporativo, ser íntegro é fundamental. Não custa lembrar que até o mago dos investimentos Warren Buffett, um dos homens mais ricos do mundo, preza essa qualidade acima de tudo tanto ao buscar sócios ou parceiros ("Não se pode fazer bons negócios com pessoas ruins") quanto ao escolher os membros da sua equipe ("Ao procurar alguém para contratar, você procura três qualidades: integridade, inteligência e energia. A mais importante é a integridade, porque sem ela as duas outras qualidades, inteligência e energia, acabarão com você.").

Do mesmo modo, na sociedade com Deus, a integridade é uma condição indispensável. Como disse o pregador britânico Charles H. Spurgeon, "cuide bem da sua integridade, e Deus cuidará da sua prosperidade". Quando vamos analisar as histórias de sucesso da Bíblia, constatamos como essa afirmação é verdadeira.

SEJA LEAL COM SEUS ADVERSÁRIOS

Vejamos o caso do profeta Daniel, modelo de diplomata, ministro, servidor público, além de exemplo de fé. Como vimos na Lei da Oração, era íntegro na sua relação com Deus e também como político, servidor público e amigo.

Sua história começa a ser narrada quando Nabucodonosor, rei da Babilônia, conquistou Jerusalém e levou muitos judeus para servir em seu palácio. Daniel e três amigos, Ananias, Mizael e Azarias, foram escolhidos por serem pessoas "instruídas em toda a sabedoria, doutos em ciência e entendidos no conhecimento" (Daniel 1:4). Ou seja, os conquistadores não escolheram qualquer um para servi-los, e sim os mais preparados, comprovando que o conhecimento faz diferença até quando estamos em absoluta desvantagem.

No palácio, Daniel e seus amigos decidiram não se deixar contaminar pelo ambiente nem abrir mão de seus valores. Essa postura ética poderia tê-los colocado em risco, pois não aceitaram as iguarias nem o vinho do rei, mas no final tudo deu certo, pois ficaram mais saudáveis que os demais e foram chamados a servir o rei Nabucodonosor. Para quem tem princípios, dar certo ou errado é secundário. Pessoas íntegras agem com base na premissa de que "princípios não podem ser negociados". Isto traz vantagens e desvantagens, ódio e admiração, oportunidades e limitações. Então, cabe a você decidir se quer ser como a maioria, que "nada com a maré", ou se prefere ter princípios inegociáveis. A segunda opção fará de você uma pessoa diferenciada no mercado de trabalho.

Daniel ficou trabalhando como sábio na corte. Tempos depois,

Nabucodonosor teve um sonho que o perturbou e quis que os sábios de seu reino dissessem o que tinha sonhado e fizessem sua interpretação. Caso contrário, mataria todos. Daniel conseguiu algum tempo para dar a resposta e pediu ao rei também que poupasse os outros sábios, demonstrando seu espírito bondoso. Ele não estava disposto a fazer o mal para se tornar único perante o rei. Ao contrário do que muita gente faz, o sábio tinha consciência de que não se constrói uma carreira por meio da destruição dos outros. É muito melhor vencer na vida por seus próprios méritos. Se quer ter sucesso, dedique-se ao seu trabalho, em vez de querer diminuir ou rebaixar os outros para parecer maior do que é. Mesmo seus concorrentes devem ser tratados de forma honesta e leal.

Daniel pediu ajuda a Deus e acabou revelando e interpretando o sonho do rei. Isso lhe trouxe muitas dádivas, mas Daniel não pensou apenas em si mesmo e pediu ajuda aos amigos, que foram nomeados responsáveis pelos negócios da província.

Mas atenção: ao pedir uma oportunidade para alguém, verifique primeiro se a pessoa é capacitada e digna de confiança. Daniel recomendou seus amigos, pois sabia que eram competentes e íntegros. Recomendar quem não tem qualificação não resolverá o problema de ninguém e ainda lhe trará aborrecimentos.

INTEGRIDADE E CONHECIMENTO

Anos depois, sob o reinado de Dario, foi criado um sistema de administração com 120 príncipes controlados por três presidentes. Daniel era um dos presidentes e, como se mostrou o melhor de todos, o rei cogitava colocá-lo no topo da cadeia de comando. Isso, naturalmente, gerou inveja: "Os presidentes e os príncipes procuravam achar ocasião contra Daniel a respeito do reino; mas não podiam achar ocasião ou culpa alguma; porque ele era fiel, e não se achava nele nenhum erro ou culpa" (Daniel 6:4).

A única saída encontrada pelos inimigos foi usar a fé de Daniel para atingi-lo. Se você tem algum tipo de fé ou religião, prepare-se, pois podem usar isso como pretexto para prejudicá-lo.

A conspiração contra Daniel deu certo e seus adversários convenceram o rei a assinar um decreto segundo o qual ninguém poderia adorar ou pedir nada a outro deus ou homem que não o rei Dario, sob pena de ser lançado na cova dos leões. Mesmo sabendo das consequências, Daniel manteve-se fiel aos seus valores e, sem sequer se esconder, continuou a orar ao seu Deus.

O rei ficou penalizado com a condenação de Daniel, pois gostava dele e o admirava (afinal, quem não gosta de um bom funcionário ou gerente?). Tentou encontrar um meio de salvá-lo, mas esbarrou na imutabilidade das leis babilônicas. O profeta foi jogado na cova dos leões, e seu "patrão", pesaroso, passou a noite sem dormir pelo que tinha feito com seu melhor "executivo".

Pela manhã, Dario foi até a cova e chamou: "Daniel, servo do Deus vivo, será que o seu Deus, a quem você serve continuamente, pôde livrá-lo dos leões?" E Daniel respondeu: "Ó rei, vive para sempre! O meu Deus enviou o seu anjo, que fechou a boca dos leões. Eles não me fizeram mal algum, pois fui considerado inocente à vista de Deus. Também contra ti não cometi mal algum" (Daniel 6:20-22).

Daniel tinha todas as razões para estar magoado e irritado com o rei, ou, mais, para criticá-lo ou se tornar arrogante por ter "vencido os leões", mas o tratou com respeito e carinho demonstrando caráter e sabedoria. O pensador inglês Samuel Johnson dizia que "Integridade sem conhecimento é fraca e inútil, mas conhecimento sem integridade é perigoso e horrível". Cultive essas duas virtudes.

Se alguém magoá-lo ou errar com você, seja gentil e magnânimo. Jesus recomendava amar os inimigos, orar por aqueles que nos perseguem e perdoar. Veja esta passagem do Novo Testamento: "Então Pedro, aproximando-se, lhe perguntou: 'Senhor, quantas vezes pecará meu irmão contra mim, que lhe hei de perdoar?

Será até sete vezes?' Respondeu-lhe Jesus: 'Não te digo que até sete vezes, mas até setenta vezes sete'" (Mateus 18:21-22).

Quando Jesus foi crucificado, Pedro o negou por três vezes. Ao ressuscitar, Jesus procurou o apóstolo e por três vezes perguntou se era amado, ao que Pedro respondeu que sim. Jesus lhe entregou novamente a missão de cuidar dos outros e disse: "Siga-me!"

Pedro ainda cometeu outro equívoco, como vemos em João 21:20-22, ao perguntar a Jesus o que seria do discípulo a quem o mestre amava e que agora os seguia. "Se eu quiser que ele permaneça vivo até que eu volte, o que lhe importa? Siga-me você", respondeu Jesus, como quem diz "Isso não é problema seu. Cuide da sua vida, da sua carreira, das suas tarefas, não se preocupe com o que eu farei com os outros ou com o que os outros estão fazendo". Jesus deu a Pedro a missão de cuidar das pessoas, mas não de ficar tomando conta delas, vigiando-as ou competindo para ser o melhor.

Talvez a maior dificuldade para se tornar uma pessoa íntegra seja esta: não ficar olhando para os lados, não ficar se preocupando com o fato de os outros não agirem com o mesmo grau de lealdade e correção. Você não deve ser íntegro numa relação de troca, em que sua honestidade será proporcional ao grau de honestidade das pessoas com quem convive. Decida agir com integridade sem buscar retribuição, prêmio ou recompensa. Ser íntegro só depende de você. Em sua defesa da integridade, Warren Buffett diz também o seguinte: "Honestidade é um presente caro, não espere isso de pessoas baratas." No caso, não seja você a pessoa barata, isto é, dê esse presente caro, e raro, a todos.

A noção de integridade bíblica é repetitiva ao recusar o tratamento baseado em merecimentos. Repare que nos Dez Mandamentos se recomenda honrar pai e mãe quer eles mereçam ou não; os cônjuges devem honrar seus pares quer eles mereçam ou não; os empregados devem honrar seus patrões, e vice-versa, quer eles mereçam ou não, e tudo isso se baseia no princípio de que Deus nos ama quer mereçamos ou não.

Dentro da lógica bíblica não se aplica o conceito de que "a minha educação depende da sua". Às vezes a manutenção da convivência pode depender do comportamento do outro, mas a ética não deve ser relacional ou relativa. Ética não é algo que possa ser moldado de acordo com o ambiente.

Abra mão de ficar tomando conta dos outros ou exigindo deles reciprocidade. Quem define sua conduta não são os outros nem as circunstâncias, mas os princípios que *você* elege seguir. Este livro parte da certeza de que existe um Deus que tudo vê e tem poder sobre todas as coisas. Ele é quem irá nos recompensar. Se você ainda não tem essa certeza, tudo bem: aja com integridade e seja paciente. Isso fará você ver os resultados. É crer para ver. Creia e faça, e ao fazer, verá.

"Eu não sou um produto de minhas circunstâncias.
Sou um produto de minhas decisões."
Stephen Covey

12

A Lei do Conjunto Amplificada

"Procure apresentar-se a Deus aprovado, como obreiro que não tem do que se envergonhar, que maneja corretamente a palavra da verdade."
2 Timóteo 2:15

As qualidades fundamentais que um profissional deve ter para garantir seu lugar no mercado de trabalho estão listadas na Lei da Empregabilidade, também chamada de Lei do Conjunto. Como já vimos, é preciso ser trabalhador, competente, honesto, simpático, leal/confiável, determinado/persistente, paciente, humilde, imbuído de espírito de equipe e capaz de se adaptar às mudanças. São atributos seculares que todos podem desenvolver, mesmo quem não tem fé em Deus. Já a Lei do Conjunto Amplificada tem uma forte dimensão espiritual e busca objetivos maiores do que o sucesso profissional ou financeiro.

Também chamada de *Teleios* – termo grego que significa "homem completo" –, a Lei do Conjunto Amplificada possui pontos em comum com a Lei da Integridade, mas vai além. Não basta ter caráter, ser honesto e digno da confiança dos homens. É preciso desenvolver um conjunto de virtudes que nos tornem seres humanos diferenciados e acima da média também em termos espirituais.

Assim como na Lei da Qualidade Máxima, Deus deve estar no centro de nossas ações cotidianas. Devemos cumprir todas as nossas tarefas – não só no trabalho, mas também nas outras áreas da vida – como se estivéssemos servindo a Deus. De acordo com o pastor Larry Titus no livro *Teleios, o homem completo*, alcançar esse estágio é ser "pleno, finalizado, perfeito", ou seja, refletindo a perfeição de Cristo em cada parte da sua vida e servindo de exemplo para os outros.

O versículo bíblico que abre este capítulo fala em ser "aprovado" e aconselha o trabalhador ou empresário – o "obreiro" – a "manejar bem a palavra da verdade". Isso significa não só conhecer a palavra, mas praticá-la, o que nos transformará em Teleios, pessoas que atingem um grau de espiritualidade no qual apresentam o fruto do Espírito Santo.

Eis o fruto do Espírito, como descrito em Gálatas 5:22:

1. Amor
2. Alegria/gozo
3. Paz
4. Longanimidade (paciência)
5. Benignidade (ser benévolo, ter bom caráter)
6. Bondade
7. Fé
8. Mansidão (serenidade, suavidade)
9. Temperança.

Podemos não começar nossa jornada com esse extraordinário conjunto de virtudes, mas devemos nos esforçar para desenvolvê-lo. Para chegar a esse ponto é preciso a intervenção de Deus. Nosso sócio não está preocupado em investir em prédios ou produtos, mas sim em pessoas. Seu desejo é nos fazer crescer usando nossas próprias habilidades. Ele é o pastor e nós somos as ovelhas. O objetivo é nos tornarmos cheios do Espírito Santo, apresentando resultados internos, aquilo que a Bíblia chama de *fruto*.

Os resultados externos são mera consequência desta transformação dentro de nós. É importante frisar que a Lei de Teleios não tem relação direta com sucesso ou dinheiro. Quem tentar segui-la para obter ganhos materiais não entendeu nada do Evangelho, das *boas-novas* que Jesus veio trazer ao mundo. A motivação é ser como Deus quer que sejamos.

Vale registrar, porém, que alguém que alcança esse patamar espiritual dispõe de qualidades apreciadas por todos, seja no plano familiar ou profissional. Quem não quer estar do lado de uma pessoa amorosa, bondosa, alegre, generosa, que vive com fé e em paz? Quem não gostaria de trabalhar, ser sócio, comprar um produto ou contratar alguém com essas qualidades? Nesse ponto, não como objetivo mas como consequência, é provável que a prática dessa lei tenha repercussão positiva na carreira e nas finanças.

Cremos que esse conjunto completo de virtudes, em especial a fé, é algo que só se aperfeiçoa e obtém com a ajuda do Espírito Santo. A ideia de paz e alegria em qualquer circunstância só faz sentido dentro da visão da paz de Cristo expressa na Bíblia: "Deixo-vos a paz, a minha paz vos dou; não vo-la dou como o mundo a dá. Não se turbe o vosso coração, nem se atemorize" (João 14:27). Esperamos que você busque e encontre essa paz.

"Ao longo dos séculos, existiram homens que deram os primeiros passos em novas estradas armados apenas com a sua própria visão."

Ayn Rand

13

A Lei da Resiliência Generosa

"Meus irmãos, tende por motivo de grande gozo o passardes por várias provações, sabendo que a aprovação da vossa fé produz a perseverança; e a perseverança tenha a sua obra perfeita, para que sejais perfeitos e completos, não faltando em coisa alguma."
Tiago 1:2-4

Saber enfrentar obstáculos, resistir às adversidades e seguir aprendendo, ajudando e fazendo o bem é uma qualidade bastante exaltada nos textos bíblicos. Por isso, há várias leis que tratam desse tema, entre elas a da Resiliência, a do Treinamento e a da Aflição Premiada. Em todas elas vemos a importância de não desistir de nossos objetivos nem mudar nossa maneira de ser por estarmos atravessando um período difícil. A Lei da Resiliência Generosa é a mistura dessa virtude com um forte componente de generosidade. O resultado é a capacidade de sofrer injustiças sem ser contaminado por elas.

Não deixa de ser um paradoxo que pessoas que cultivam a resiliência generosa costumem passar por grandes desafios. A Bíblia, porém, nos alerta que os metais preciosos é que passam pelo fogo. Veja o que Salomão diz em Provérbios 17:3: "O crisol é para a prata, e o forno para o ouro; mas o Senhor é quem prova os corações." Os metais nobres são submetidos a altas temperaturas no crisol ou cadinho (a prata) e no forno (o ouro) para serem depurados de suas impurezas. "Quando se retira a escória da prata, nesta se tem material para o ourives" (Provérbios 25:4).

Mesmo com todas as impurezas, prata é prata e ouro é ouro. O ourives vê a parte boa e sabe que pode aproveitá-la. Deus, o maior ourives que existe, desempenha a mesma tarefa: purifica nosso coração por meio de aflições e provações, limpando a prata e o ouro para poder fazer as taças onde servirá seu vinho.

Se você estiver disposto a tirar a sujeira da sua vida, o que sobrará será metal precioso que pode ser usado e moldado por Deus. Fique atento também às pessoas que o cercam e não se esqueça da Lei do Farelo: "Quem com porcos anda, farelo come." Em qualquer governo ou empresa, retirar a liderança ruim e as "maçãs podres" é essencial para o sucesso: "Tira o ímpio da presença do rei, e o seu trono se firmará na justiça" (Provérbios 25:5 ARIB).

Todo mundo merece uma segunda chance, mas, quando a pessoa insiste em não evoluir, o melhor que você, sua empresa ou seu governo podem fazer por ela é lhe dar uma oportunidade de crescer em outro lugar. Quem sabe, ao perder o emprego ou se recolocar em outra empresa, esse funcionário não perceberá seus erros e conseguirá dar um salto de qualidade. Reconheça seus limites: se você tentou mas não conseguiu tirar o melhor de seu subordinado, deixe que ele tenha uma chance com outro chefe ou líder.

O PARADOXO DO BOM PROFISSIONAL

Você já reparou que os melhores empregados e os melhores servidores públicos acabam sendo mais exigidos enquanto os preguiçosos ficam à toa? Aqui cabe aplicar as leis que estamos estudando.

Ao contrário do que parece certo, são os melhores projetos os que mais sofrem. As ideias mais revolucionárias são justamente as que encontrarão maior oposição. Os melhores homens e mulheres serão os que enfrentarão maiores desafios.

É ingenuidade acreditar que as melhores pessoas serão poupadas de sofrimento e que apenas as más enfrentarão as "temperaturas mais altas". Por um lado, sabemos que todos colhem o que plantam e, portanto, os maus irão passar alguns maus bocados, mas temos que admitir, não sem incômodo, que os bons também sofrem. A Bíblia, como vimos, alerta que os metais são tanto mais exigidos quanto mais nobres sejam. Metal ruim fica de lado.

O mesmo aconteceu com o barro: apenas nas mãos do oleiro é que se transforma. Mas para virar peça fina antes precisa ser reformatado. É barro e barro continua, permanece com sua essência, mas a vida, ou Deus, lhe dá outra forma mais nobre. E também o barro, tal como o ouro, só se afirma quando passa as horas devidas no forno.

O metal nobre que não vira joia e o barro que não se torna escultura, vaso, telha ou tijolo podem não ter sofrido, mas não cumpriram suas melhores possibilidades. Então, se você está sentindo o calor do fogo e sendo muito exigido, é bem provável que seja barro de valor ou metal dos mais preciosos. Tenha certeza de que, se ficar firme e for se purificando do que tiver de ruim, irá se transformar em joia preciosa ou algo útil e belo. Tanto para si quanto para o mundo.

A PROVAÇÃO DE JÓ

Existem muitos homens e mulheres de sucesso na Bíblia, entre eles José, Calebe, Samuel, Jabez, Ester, Gideão. Também há vários personagens que poderiam tanto entrar no capítulo de sucessos quanto no de fracassos, como Sansão, Saul e Davi. Podemos aprender com todos eles, principalmente com os que erraram bastante, como Raquel, Jonas, Ananias e Safira. Em alguma medida, esses homens e mulheres demonstraram resiliência, mas nem sempre de forma alegre ou generosa. Encontramos um ótimo exemplo dessa virtude na história de Jó.

Seu caso é muito interessante. Jó era um homem muito íntegro, pai de sete filhos e três filhas e riquíssimo. Tudo corria bem em sua vida até que certo dia Satanás se apresentou ao Senhor. Os dois conversaram e o Senhor perguntou a Satanás: "Reparou em meu servo Jó? Não há ninguém na terra como ele, irrepreensível, íntegro, homem que teme a Deus e evita o mal" (Jó 1:8). Satanás respondeu então que era fácil para Jó agir assim, já que era abençoado por Deus: "Mas estende a tua mão e fere tudo o que ele tem, e com certeza ele te amaldiçoará na tua face" (Jó 1:11).

Para provar a integridade de Jó, Deus permitiu que Satanás interferisse na vida dele. O resultado é uma verdadeira tragédia: Jó perde os bens, os filhos e fica coberto de úlceras malignas. Mesmo assim, não blasfema contra Deus, ao contrário: "Saí nu do ventre da minha mãe, e nu partirei. O Senhor o deu, o Senhor o levou; louvado seja o nome do Senhor" (Jó 1:21).

Sabendo de seu sofrimento, três amigos de Jó vão em seu socorro e sucedem-se debates entre eles sobre a grandeza dos propósitos divinos e os mistérios da vida. Por fim, Deus aparece para eles e repreende os amigos de Jó, dizendo que só não os punirá se Jó fizer uma oração por eles. Depois de orar pelos amigos, Jó recebe do Senhor em dobro tudo o que tinha, é abençoado com outros sete filhos e três filhas e tem uma vida longa e próspera.

Da leitura atenta do livro de Jó é possível extrair inúmeras qualidades que poderíamos tentar desenvolver:

- Ele era íntegro e justo, temia a Deus e evitava o mal;
- Preocupava-se com seus filhos e tudo leva a crer que era fiel no casamento;
- Era motivo de orgulho para seu "superior" (no caso, Deus) e justo com seus empregados;
- Lidava com os reveses e as tragédias com resignação;
- Resistiu até a pressões familiares para se manter íntegro;
- Não era obcecado por dinheiro ou riqueza;
- Não se alegrava com o mal alheio;
- Assumia seus erros e era transparente.

Jó passou por todas essas dificuldades, mas se recuperou, reconstruiu seus negócios e constituiu uma nova família. Seu exemplo mostra que, mesmo após os mais terríveis desastres, é possível começar vida nova, em especial se você tem estrutura emocional e se o seu sucesso está fundado em bases sólidas.

"Sem fé é impossível agradar a Deus, pois quem dele se aproxima precisa crer que ele existe e que recompensa aqueles que o buscam."
Hebreus 11:6

14

A Lei dos Dez Passos

"Quem pratica a verdade vem para a luz, para que se veja claramente que as suas obras são realizadas por intermédio de Deus."
João 3:21

Um ótimo conjunto de regras está nos Dez Mandamentos, que muitas vezes, infelizmente, são percebidos como "uma tabela de proibições", uma lista antipática "do que não se pode fazer". Só que essas dez regras representam um fantástico manual que, ao ser colocado em prática, faz você se tornar uma pessoa diferenciada em diversas áreas.

Além de ensinar importantes valores para os relacionamentos e a vida espiritual, os mandamentos sinalizam como obter sucesso, prosperidade e realização pessoal. Seja por devoção religiosa, seja para aprimorar suas técnicas de sucesso, você terá ótimos resultados ao seguir a Lei dos Dez Passos. Lembrando que, na prática, não estamos diante de uma lei, mas de dez! Por outro lado, dez passos não é muito para quem deseja se tornar sócio de Deus.

Em todo processo de crescimento há lugar para a poda – e os cortes, quando feitos da maneira correta, contribuem em vez de prejudicar. Como dizia Cecília Meireles: "Aprendi com as Primaveras a me deixar cortar para poder voltar sempre inteira." Acreditamos que, ao respeitar as limitações impostas pelos Dez Mandamentos, podemos nos tornar emocional e espiritualmente inteiros.

Veja o que cada um dos mandamentos nos ensina:

1. *"Não terás outros deuses diante de mim."* Um ateu, cético ou materialista, e não apenas um religioso, pode aprender muito com este conselho. Como? O trabalho e o dinheiro podem ser como deuses na vida de muita gente. E quem deifica essas coisas acaba virando um *workaholic*. Se é para não haver um "Deus", não transforme o trabalho ou o dinheiro em um. Se for para seguir algum, siga o verdadeiro.
2. *"Não farás para ti nenhum ídolo, nenhuma imagem de qualquer coisa no céu, na terra, ou nas águas debaixo da terra."* O verdadeiro Deus é infinito, não cabe em um desenho ou em uma imagem. Ele se manifesta através da natureza, das pessoas, da Palavra e, também, do silêncio. Deus é espírito e devemos aprender a não tentar materializá-lo. Confie em Deus, principalmente nas adversidades.
3. *"Não tomarás em vão o nome do Senhor, teu Deus."* Seja conhecido pela sua palavra, sem precisar usar o nome de Deus. Quem usa o nome do Senhor para ser digno de confiança é porque ainda não conseguiu se tornar confiável por conta própria.
4. *"Lembra-te do dia do sábado, para o santificar."* Independentemente da fé religiosa, sempre aconselhamos as pessoas com relação ao descanso no dia de sábado, o conhecido *Shabat*. Dizemos isso porque reduz doenças, reforça o preparo emocional e aumenta a produtividade. Funciona tanto para quem está fazendo vestibular e concurso quanto para quem está montando uma empresa. É válido para qualquer tipo de atividade. É vital que você tenha um dia de descanso, o que, para a maioria das pessoas, acontece no domingo. Em termos profissionais, mais importante que o dia exato da semana é o conceito de ter um dia de descanso e lazer.
5. *"Honra teu pai e tua mãe, a fim de que tenhas vida longa na*

terra que o Senhor, o teu Deus, te dá." Você não pode escolher o tipo de pais que terá, mas pode escolher o tipo de filho que será. Essa disciplina amorosa pode mudar sua história familiar: sendo bom filho, você se prepara para ser um bom pai. Não respondendo na mesma moeda, mas "dando a outra face", você se transforma em alguém diferenciado (e que também agrada a Deus). Se você crê em um Deus que ama incondicionalmente, apesar de nossos defeitos, deve treinar amar de modo semelhante. Comece a agir assim com seus pais e seus filhos, depois experimente fazer o mesmo com seus colegas de trabalho, chefes ou subordinados. Amor não é só o que você sente, amor é também o que você faz.

6. "*Não matarás.*" Preservar a vida, a sua e a dos outros, traz benefícios para seu corpo, para sua mente, para aqueles que vivem ao seu redor e para o planeta.
7. "*Não adulterarás.*" Juízos morais à parte, quem adultera desvia seu foco e energia. Com certeza, vai ter trabalho para manter o caso extraconjugal oculto e administrar dois relacionamentos. Este gasto de energia emocional e de tempo irá refletir no rendimento no trabalho.
8. "*Não furtarás.*" Quem furta pode acabar perdendo o emprego (inclusive por justa causa) e até ser processado criminalmente. Some à ideia de furto qualquer tipo de fraude.
9. "*Não dirás falso testemunho contra o teu próximo.*" Esta regra alerta sobre o prejuízo que fofocas e intrigas trazem ao ambiente profissional. A maledicência gera péssimos resultados no funcionamento das empresas, do serviço público e mesmo de seu próprio negócio. Jesus ensinou: "Bendizei aos que vos maldizem" (Lucas 6:28). Isso parece contraditório, mas é evidente que aquele que não aceita provocações nem gasta energia com litígios sai mais forte da situação. Se o que se diz de alguém não é verdade, ou pelo menos não é relevante, todos perceberão a má intenção da pessoa que fala mal de outra.

10. *"Não cobiçarás a casa do teu próximo, não cobiçarás a mulher do teu próximo, nem o seu servo, nem a sua serva, nem o seu boi, nem o seu jumento, nem coisa alguma do teu próximo."* O que a Bíblia corrobora é que, se você deseja algo que não tem, deve lutar por isso de forma honesta. Não olhe para o que não é seu, e trabalhe para conquistar o que pode ser. Cobiçar não vai trazer resultado algum a você, só desgaste. A cobiça e a inveja são sentimentos ruins que fazem com que as pessoas gastem energia com pensamentos que são prejudiciais à saúde. Ao tentar ser igual aos outros, deixa-se de focar em potencializar os próprios talentos. Ou seja, a maior prejudicada é a pessoa invejosa. O grande conselho divino embutido aqui é: "Vá viver sua vida e pare de ficar vivendo a vida dos outros."

UMA NOVA ÓTICA SOBRE OS DEZ MANDAMENTOS

Mais do que encarar os Dez Mandamentos como proibições, devemos entendê-los como desafios e orientações para melhorar nossa vida. Como um artista transforma um pedaço de mármore ou de madeira em escultura? Ele tira da matéria bruta tudo o que não parece com a escultura que deseja criar. Se ele quer fazer um cavalo de madeira, retirará daquele material tudo o que não parece com um cavalo. O que sobrará será algo semelhante a esse animal.

Assim são os Dez Mandamentos. Eles procuram retirar da pessoa as imperfeições que podem torná-la derrotada, delinquente, antissocial, imoral, odiosa, desleixada, descuidada, desonrada, invejosa, ressentida, etc. Restará, então, um ser humano aperfeiçoado.

Inserimos aqui um resumo do estudo feito no livro *O poder dos 10 Mandamentos – O roteiro bíblico para uma vida melhor*, inspirado nas lições trazidas por Leonard Felder na obra *Os dez desafios*.

Os Dez Mandamentos não são regras de um Pai turrão e autoritário, disposto a tirar todas as alegrias de seus seguidores. Ele não ia se dar ao trabalho de povoar o planeta de gente triste. Ao entregar a Moisés os Mandamentos, Deus dá mostras de ser também apaixonado pela sua criação. Como disse Leonard Felder ao comentar a expressão "Eu sou seu", podemos imaginar Deus dizendo o seguinte: "Eu sou aquele que se preocupa com você. Sou aquele que está interessado em você. Sou aquele que olha você. Sou aquele que tirei você do cativeiro e conduzi meu povo, por intermédio de Moisés, à Terra Santa. Quero caminhar ao seu lado, sempre para o melhor lugar, onde você possa se tornar cada vez melhor e mais livre."

Não faz sentido que o Criador libertasse as pessoas para submetê-las a uma série de regras que todos se sentissem tentados a desrespeitar. A mensagem é outra: "Quero tirar você de uma vida pequena, mesquinha, de uma visão curta, para que caminhe em direção da verdadeira liberdade. Então, proporei alguns desafios para que você rompa também os grilhões emocionais e psicológicos."

Esse apelo muda tudo. Mais que ordens, são palavras de incentivo, motivação, esperança e fé. É sob essa perspectiva que temos de olhar os Dez Mandamentos. São desafios que têm a possibilidade de nos ajudar a amadurecer emocionalmente. Sim, porque onde não há desafios o que existe é marasmo, água parada, mesmice. E água parada se torna insalubre.

Veja, nos exemplos a seguir, as oportunidades de superação que os mandamentos nos oferecem:

"Lembra-te do dia do sábado, para o santificar." O desafio aqui é administrar bem o tempo, um dos grandes segredos do sucesso. Organize-se para não pensar em trabalho, pelo menos, um dia a cada sete. Exercite o ócio criativo e encare essa quebra de rotina como uma oportunidade de expandir os horizontes e ter novas ideias.

"Não matarás." É a busca pelo respeito à vida, o que inclui não se matar aos poucos com o excesso de trabalho, desprezando os cuidados com sua saúde física e emocional. Não matar expressões da própria personalidade, ou de terceiros, como a autoestima e a respeitabilidade, também são projeções da ideia de respeitar a vida.

"Não adulterarás." É um desafio para criarmos um relacionamento interessante com nosso cônjuge. Isso trará ganho de tempo, economia de dinheiro, menos riscos (tiros, doenças, mágoas, separações) e nos permitirá alcançar níveis mais profundos de intimidade, prazer e amadurecimento ao lado dele, já que você estará investindo nele e não em terceiros.

"Não furtarás." Sua missão é criar riqueza pelo trabalho, e não lesando os outros. Mesmo que você não seja descoberto ao se apropriar do que não é seu, você estará empobrecendo, pois o furto lhe trará vantagem material, mas moralmente você valerá cada vez menos.

"Não dirás falso testemunho contra o teu próximo." Falar a verdade, jogar limpo, ser verdadeiro consigo e com o próximo é desafiador. Mas isso fará com que nossa palavra tenha mais valor e nos dará credibilidade perante os outros.

"Não cobiçarás a casa do teu próximo, não cobiçarás a mulher do teu próximo, nem o seu servo, nem a sua serva, nem o seu boi, nem o seu jumento, nem coisa alguma do teu próximo." Não é tarefa fácil aprender a viver nossa vida e nos contentarmos com o que temos, mas é muito mais gratificante seguirmos essa filosofia e, se quisermos mais, trabalharmos para atingir nossas metas. O outro lado desse desafio está em aprendermos a ter alegria com as conquistas dos outros. Precisamos nos acostumar com um Deus que dá coisas boas a todos.

Em suma, existem muitos obstáculos que, se vencidos, tornarão você uma pessoa fora de série em todos os campos da sua vida.

"Quando tratamos uma pessoa como ela é, nós a tornamos pior do que já é; quando a tratamos como se já fosse o que poderia ser, nós a transformamos no que deveria ser."

Goethe

15

A Lei da Ajuda ao Próximo

"Se alguém afirmar: 'Eu amo a Deus', mas odiar seu irmão, é mentiroso, pois quem não ama seu irmão, a quem vê, não pode amar a Deus, a quem não vê. Ele nos deu este mandamento: Quem ama a Deus, ame também seu irmão."
1 João 4:20-21

Estamos progredindo nas qualidades a serem desenvolvidas por um legítimo sócio de Deus, e uma delas é a capacidade de ajudar o próximo, servindo-o. O ideal é que você se comporte assim de boa vontade, e não por interesse, mas de um modo ou de outro será premiado.

Nas primeiras 25 leis, falamos da Lei da Utilidade, em que você se torna útil para as pessoas e a empresa e acaba tendo maior reconhecimento profissional por isso. Aqui, a ideia é ir além: ajudar o próximo porque é o que Jesus quer que você faça. Mesmo que você não vise a recompensas, sua atitude será premiada.

Deus atua de diversas maneiras, mas quer que nós façamos o mesmo. Movidos pelo exemplo de amor e serviço que vem dele, devemos agir da mesma maneira em relação ao próximo. Ao estabelecer as prioridades para a sua vida, não foque apenas em si mesmo. Siga os princípios divinos para a construção de um mundo melhor e mais justo para todos. Não custa lembrar que "a religião pura e imaculada para com Deus, o Pai, é esta: visitar os órfãos e as viúvas nas suas tribulações, e guardar-se da corrupção do mundo" (Tiago 1:27).

Nosso sócio todo-poderoso está à procura de parceiros que não queiram *ganhar* coisas, mas *entregar* coisas. Jesus não era rico. Ele nasceu, viveu e morreu por amor a cada um de nós. Se você crê nisso, considere seguir esse padrão alternativo de vida e serviço em abundância.

Mesmo que tenhamos como um de nossos objetivos crescer profissionalmente e melhorar de vida, enfatizamos que Jesus fala em não tentarmos "servir a dois senhores" ao mesmo tempo. Não se pode ter Deus e riquezas como senhores. É necessário escolher entre um e outro, ter uma só prioridade. Uma escolha possível é estabelecer Deus como prioridade.

A felicidade não está diretamente relacionada a êxitos e fracassos no aspecto profissional ou financeiro. Prova disso são os ricos e famosos que vivem insatisfeitos, enquanto pessoas humildes demonstram estar em paz. Assim como é preciso um conjunto de qualidades para a pessoa ser considerada boa profissional, a felicidade decorre de um conjunto de atitudes, pensamentos e comportamentos. Diante disso, as circunstâncias se tornam secundárias.

Dito isso, é fácil constatar que Deus oferece ajuda especial para quem estende a mão ao próximo: "Felizes aqueles que ajudam os necessitados, o Senhor os ajudará quando estiverem em dificuldades" (Salmos 41:1). É como um pai que diz ao filho: ajude seus irmãos e irei recompensá-lo por isso. Deus quer que nos preocupemos com os injustiçados, os perseguidos, os discriminados, os pobres e necessitados. Na verdade, seu intuito é que nosso amor, atenção e educação sejam direcionados a todos, inclusive aos desconhecidos e até aos inimigos.

Com certeza, quem atinge esse grau de empatia com o próximo e esse elevado espírito de fraternidade é uma pessoa com quem todos querem estar, conversar, fazer negócios, conviver. Não que este seja o objetivo de ser bom, mas quem não preferiria contratar ou negociar com alguém assim?

CUIDE DAS PESSOAS E DEUS CUIDARÁ DA SUA CARREIRA

Estamos absolutamente convencidos deste conceito: "Cuide da sua carreira e Deus cuidará das pessoas. Cuide das pessoas e Deus cuidará da sua carreira." Entendemos que, quando você foca suas atenções em fazer o bem e servir, Deus se preocupa com sua carreira. É como se ele ajudasse você para que suas atenções possam continuar focadas no que ele, o Pai, considera mais importante: as pessoas. Quando você começa a se preocupar mais com a carreira, Deus aceita que você se julgue mais apto a cuidar disso e, numa atitude que nos parece muito respeitosa, ele intervém menos em sua trajetória profissional e financeira.

Além do que Deus pode fazer por você, lembre que todas as pessoas gostam de quem se preocupa com elas. Quem é prestativo sempre será um sócio ou profissional que os outros querem ter por perto. Quando você faz o bem, o bem volta para você, como podemos ver em vários exemplos bíblicos. Jó orava por seus amigos quando sua sorte mudou (Jó 42:10). Saul tinha problemas materiais para resolver (animais perdidos a encontrar), mas cuidou da parte espiritual e, enquanto fazia isso, os animais foram encontrados (1 Samuel 9). Ester arriscou sua vida pelo povo, mas Deus a preservou (Ester). Mardoqueu, por ter cuidado de seu povo, alcançou o favor de Deus e do próprio povo (Ester 10:3).

O cuidado com o próximo traz dois tipos de consequências:

a. No plano terreno, quanto mais você é querido, mais fácil se torna liderar e influenciar o grupo, mais fácil contar com a motivação, a lealdade e o comprometimento da equipe e dos colaboradores. Fazer o bem lhe trará a admiração e a gratidão das pessoas.
b. No plano espiritual, Deus se agradará de você e abençoará sua vida de modo especial: "Lança o teu pão sobre as águas, porque depois de muitos dias o acharás" (Eclesiastes 11:1).

AJUDA PREMIADA X AJUDA DESINTERESSADA

Sempre é bom lembrar que existe mais de uma forma de encarar o sucesso. Há modelos completamente estranhos para a maior parte das pessoas, em que dinheiro, fama ou poder não têm a menor importância. Estamos falando de quem se dedica a servir a Deus e ao próximo.

Neste estágio, trata-se de outro patamar de serviço, aquele em que a pessoa está disposta a sacrificar parte de seu tempo e de seus bens para ser útil aos outros. Isso normalmente ocorre por motivações maiores, humanistas ou espirituais, que ultrapassam – e muito – a barreira profissional.

Às vezes, isso ocorre para servir a Cristo. Conhecemos pessoas que poderiam ter enorme retorno financeiro em projetos privados, mas optaram por se dedicar a obras sociais ou missões. No caso, a pessoa está sacrificando algum bem, valor ou carreira para atender a um objetivo que considera mais importante.

O Evangelho tem um lado maravilhoso, o da salvação, e outro também muito bom, o da prosperidade e riqueza. Alguns escolhem o caminho altruísta de Jesus: "Nisto conhecemos o amor: que Cristo deu a sua vida por nós; e nós devemos dar a vida pelos irmãos" (1 João 3:16). Cada vez que conseguimos dar vida, doar e construir, cada vez que impedimos morte, roubo e destruição, estamos fazendo parte da obra que Jesus disse que veio fazer.

A proposta de uma vida de amor, retidão e serviço está expressa de modo claro no que Deus transmitiu ao povo por meio de seu profeta Isaías: "Se você eliminar do seu meio o jugo opressor, o dedo acusador e a falsidade do falar; se com renúncia própria você beneficiar os famintos e satisfizer o anseio dos aflitos, então a sua luz despontará nas trevas, e a sua noite será como o meio-dia. O Senhor o guiará constantemente; satisfará os seus desejos numa terra ressequida pelo sol e fortalecerá os seus ossos. Você será como um jardim bem regado, como uma fonte cujas águas nunca faltam" (Isaías 58:9b-11).

O grau de serviço que você está disposto a prestar aos outros só depende de você, mas não se esqueça de que o amor ao próximo é uma das principais cláusulas da sua sociedade com Deus.

AJUDA AO PRÓXIMO E LIDERANÇA SERVIDORA

Quando se fala em liderança, a maioria pensa logo em prêmios e status. Na prática, porém, liderar é uma tarefa nobre, mas bastante trabalhosa e desgastante, que envolve responsabilidades, dificuldades e muita dedicação. Nesse sentido, assumir ou aceitar liderar um grupo pode ser fruto do comprometimento com a Lei da Ajuda ao Próximo.

Se você deseja ajudar, aceitará melhor o encargo de ser líder, e isso fará suas habilidades se desenvolverem. Esteja preparado para servir seus subordinados, prestando atenção ao que dizem e mostrando que podem contar com você. James C. Hunter, autor de *O monge e o executivo*, se tornou referência sobre esse aspecto da liderança: ser um servidor. Veja o que ele diz: "Em poucas palavras, a liderança é uma questão de amar as pessoas de verdade, identificando e satisfazendo suas necessidades legítimas. Amar é se doar para ajudar os demais a alcançarem o melhor de si. O teste definitivo da liderança é saber se, depois de algum tempo, sob o comando de um líder, as pessoas saem da experiência melhores do que eram antes."

No livro *O caminho da tranquilidade*, o Dalai-Lama aponta também para uma liderança servidora:

> "Que eu me torne em todos os momentos, agora e sempre,
> Um protetor para os desprotegidos,
> Um guia para os que perderam o rumo,
> Um navio para os que têm oceanos a cruzar,
> Uma ponte para os que têm rios a atravessar,
> Um santuário para os que estão em perigo,
> Uma lâmpada para os que não têm luz,

Um refúgio para os que não têm abrigo
E um servidor para todos os necessitados."

No mesmo sentido, veja o que diz Francisco de Assis:

"Senhor, fazei-me instrumento de vossa paz.
Onde houver ódio, que eu leve o amor;
Onde houver ofensa, que eu leve o perdão;
Onde houver discórdia, que eu leve a união;
Onde houver dúvida, que eu leve a fé;
Onde houver erro, que eu leve a verdade;
Onde houver desespero, que eu leve a esperança;
Onde houver tristeza, que eu leve a alegria;
Onde houver trevas, que eu leve a luz.
Ó Mestre, fazei que eu procure mais
Consolar, que ser consolado;
compreender, que ser compreendido;
amar, que ser amado.
Pois é dando que se recebe,
é perdoando que se é perdoado,
e é morrendo que se vive para a vida eterna."

Assim, se você quiser cuidar do próximo enquanto deixa Deus cuidar da sua carreira, um bom modo de fazer isso – mesmo que não o único – é liderar bem as pessoas.

"(...) e ela pensou em seguida que ali estava uma nova confirmação de sua convicção: todo o valor do homem está ligado a essa faculdade de se superar, de existir além de si mesmo, de existir no outro e para o outro."
Milan Kundera, em *Risíveis amores*

AS LEIS DO RELACIONAMENTO COM DEUS

16

A Lei da Dependência

"Mas eu sou pobre e necessitado; contudo o Senhor cuida de mim. Tu és o meu auxílio e o meu libertador; não te detenhas, ó meu Deus."
Salmos 40:17

Em quatro dos Salmos que escreveu, Davi repetiu a frase em epígrafe, sobre ser pobre e necessitado, mesmo quando já era rei, poderoso e invencível militar e politicamente. Ele percebia que, para os assuntos mais sérios da vida, todos somos "pobres e necessitados". Jesus também tratou dessa questão ao afirmar: "Bem-aventurados os pobres de espírito, porque deles é o Reino dos céus" (Mateus 5:3). O que ele quis dizer com isso? Que aqueles que reconhecem a própria pobreza ou necessidade podem experimentar o auxílio de Deus. Para entender melhor, é possível traçar um paralelo com quem está doente mas se julga saudável e não procura socorro. Essa pessoa tem menos chance de se salvar do que alguém que reconhece que está doente e busca ajuda médica.

Embora exista uma atuação divina constante em favor do mundo, são os que buscam o auxílio de Deus que irão recebê-lo de forma especial. E Davi foi exemplo dessa dependência: ele reconheceu suas necessidades e levou seus pedidos a Deus em oração: "Vê se em minha conduta há algo que te ofende, e dirige-me pelo caminho eterno" (Salmos 139:24).

Muitas pessoas, em especial as mais ricas e poderosas, cometem o equívoco de acreditar não depender de Deus para nada. Por isso mesmo Jesus disse que "De fato, é mais fácil passar um camelo pelo fundo de uma agulha do que um rico entrar no Reino de Deus" (Lucas 18:25). É bom esclarecer que o que impede a entrada dessas pessoas no Reino dos céus não é o fato de possuírem bens ou riqueza, mas sua falta de fé e sua atitude arrogante e autossuficiente ao longo da vida.

DAVI E GOLIAS

O fato de sermos dependentes de Deus não significa não ter sonhos e ambições nem deixar de lutar pelo que queremos. Analisando a trajetória de Davi, entendemos por que ele se tornou um modelo de homem de ação e coragem. Davi era ambicioso e tinha planos de crescimento e sucesso. Não escondeu de ninguém que estava interessado nos prêmios para quem vencesse o grande desafio do seu tempo: derrotar o gigante Golias.

Foi Davi quem pediu para enfrentar Golias visto que nenhum dos soldados do exército de Israel, nem os mais preparados, tiveram a bravura de fazê-lo. E, ao chegar ao campo de combate, indagou aos que estavam ao seu lado: "O que receberá o homem que matar esse filisteu e salvar a honra de Israel?" (1 Samuel 17:26). Davi teve fé em Deus e saiu vitorioso. Portanto, é importante frisar que a Bíblia não condena ter ambições positivas, e sim ter ambições egoístas.

Embora muitos conheçam a história de Davi e Golias, poucos sabem que, antes de ficar frente a frente com o gigante, ele havia treinado bastante. Davi já enfrentara um leão e um urso. Quando os animais selvagens atacaram o rebanho, Davi poderia ter fugido e depois se desculpado com o pai: "Olha, veio um leão, veio um urso e eu precisei sair correndo e deixei as ovelhas para lá!" Só que ele não teve medo. Ficou e lutou. Não fugiu dos desafios que apareceram, e isso o preparou para dificuldades ainda maiores (1 Samuel 17:34-37).

Davi era um adolescente quando venceu o gigante Golias, e o mais interessante é que ele assumiu suas limitações e foi à luta. Não quis tentar se passar por algo que não era. Quando o rei Saul lhe ofereceu sua armadura, sua espada e seu capacete de bronze, ele chegou a experimentá-los, mas não se sentiu à vontade e preferiu ir para o combate com seu cajado, sua funda e cinco pedras (1 Samuel 17:38-40). Tem muita gente por aí que finge ter conhecimentos que não tem ou ser o que não é. Infelizmente, essas pessoas acabam não progredindo.

Davi não se importou com as ofensas nem com quem apostava que não teria condições de vencer, preferindo acreditar em si mesmo e em Deus. Entrou aí o fator fé. Quando o gigante lhe disse em tom sarcástico: "Sou eu algum cão, para vires a mim com paus?", ele respondeu: "Você vem contra mim com espada, com lança e com dardo, mas eu vou contra você em nome do Senhor dos Exércitos, o Deus dos exércitos de Israel, a quem você desafiou" (1 Samuel 17:43b-45). A fé é capaz de superar o medo, a insegurança, a incerteza, a humilhação, a fraqueza e todas as armas que poderiam fazer você desistir.

Davi reúne várias características dos homens de sucesso: tinha planos, treinava, era corajoso, assumia sua situação, não se deixava abalar pelas críticas e lutava com fé. Ele se mostrou um grande líder, um guerreiro corajoso e, para quem acredita em Deus, um exemplo de fé. Chegou a ser considerado o "homem segundo o coração de Deus" (Atos 13:22). Seus Salmos, inspiradores, são verdadeiras lições de comprometimento com suas metas.

Mas Davi também errou. E muito. Porém isso mostra que, apesar das nossas falhas, podemos fazer coisas boas. Sempre é possível se arrepender e retomar a estrada correta. Vale mencionar que Davi errou quando começou a ficar confiante demais em si mesmo e quando parou de ir lutar as batalhas com seu exército.

Ao ficar acomodado em seu castelo, ele viu e cobiçou Bate-Seba, mulher de Urias. Pior, começou a achar que tinha mais direitos do que os outros, e por isso cometeu adultério. Para esconder seu erro, transformou-se em homicida, matando à traição um soldado leal ao enviá-lo para o lugar mais perigoso da frente de batalha. Esse erro lhe custou tremendamente caro. Mas Davi não perdeu a fé, e Deus o perdoou.

Prestem atenção ao que Jesus nos diz sobre a Lei da Dependência: "Eu sou a videira; vocês são os ramos. Se alguém permanecer em mim e eu nele, esse dá muito fruto; pois sem mim vocês não podem fazer coisa alguma" (João 15:5).

"Eu tive muitas coisas em minhas mãos, e perdi todas. Mas tudo o que eu guardei nas mãos de Deus, eu ainda possuo."
Martin Luther King Jr.

17

A Lei da Paciência

"Esperei com paciência no Senhor, e ele se inclinou para mim, e ouviu o meu clamor."
Salmos 40:1

Paciência e fé são ferramentas fundamentais para lidarmos com os obstáculos e com o tempo decorrente entre nossas ações (semeadura) e a obtenção dos resultados pretendidos (colheita). Paciência é a calma para esperar o que tarda e envolve aguardar a mudança de cenário. Fé é a crença de que Deus atuará, na hora que for adequada, movido por imensa sabedoria, bondade e soberania.

A perseverança é uma virtude, mas a paciência vai além, pois envolve confiança na provisão divina. Uma coisa é persistir em um sonho ou projeto, outra é esperar com paciência no Senhor.

Não devemos querer fazer a parte que cabe a Deus nem ter pressa para que ele venha a fazê-la segundo nosso plano. Também não devemos achar que é possível acelerar as coisas quebrando regras, especialmente as dadas por Deus. Estar a serviço dele não dá a ninguém a prerrogativa de descumprir nem as leis bíblicas nem as dos homens.

Ser honesto, por exemplo, é indispensável para o verdadeiro sucesso. Deus não precisa que ninguém lhe dê uma "forcinha" usando métodos ilícitos ou antiéticos. Essa é uma das piores distorções que ocorrem na busca de sucesso. É lamentável, mas existem pessoas que acham que os fins justificam os meios e que não há mal nenhum em serem "um pouquinho" desonestas, mentindo, praticando "pequenos" roubos ou fraudes, participando de corrupção ativa ou passiva, sonegando impostos ou envolvendo-se em negócios duvidosos. Esse tipo de conduta pode até funcionar para quem não conhece Deus, mas, para quem conhece, não haverá impunidade.

Você deve conhecer a história de Sara, esposa de Abraão, contada no Gênesis. Ela queria muito ter filhos, mas, com a idade um pouco avançada e sem paciência de esperar, decidiu dar um jeitinho e jogou sua empregada, Agar, para cima de Abraão. Desse encontro, nasceu Ismael. No entanto, anos depois, já idosa, Deus abençoou Sara com um filho, Isaque, e dele foi formada uma grande nação.

Deus tinha grandes planos para Sara e Abraão, mas a ansiedade deles fez com que tentassem resolver a questão por conta própria, gerando complicações até os nossos dias, pois judeus e árabes são povos irmãos descendentes de Abraão, mas não se entendem. Judeus, filhos de Isaque, e árabes, filhos de Ismael. Observe que Abraão e Sara falharam, mas Deus cumpriu o que havia prometido.

Outro exemplo de precipitação é o do rei Saul, cuja história é contada no primeiro livro de Samuel. Ele desobedeceu a Deus em mais de uma ocasião. Um dos seus erros foi não aguardar o prazo de sete dias para a chegada do profeta Samuel, conforme o combinado, e se arvorar como sacerdote sobre Israel, fazendo ele mesmo a oferta do sacrifício.

O irônico é que, assim que Saul ofereceu o holocausto, Samuel chegou, ainda dentro do prazo combinado. Para piorar, Saul não se arrependeu de sua desobediência e deu desculpas de que era uma emergência, que seu povo estava debandando e os filisteus podiam atacar a qualquer momento. Ora, é nessas situações-limite que Deus testa a nossa fé e, ao contrário do que Saul imaginou, não se pode esquecer as regras porque o desastre parece iminente.

Saul achou que podia mudar um pouquinho a ordem das coisas e que Deus entenderia. Só que Deus não compactua com esses desvios.

Em outro momento, Saul resolveu consultar uma necromante. Sentindo-se inseguro e com medo, ele pediu ajuda a Deus e, como não obteve resposta imediata, perdeu a fé. Deixou-se levar pelo desespero e fez uma consulta aos mortos. Mas preferiu fazê-lo escondido, usou disfarces e acabou mais perturbado que antes, fruto da precipitação. Quando alguém comete um erro, não adianta esconder-se de Deus, pois, por princípio bíblico, ele é onisciente – sabe todas as coisas – e onipresente – está em todos os lugares.

A partir do momento em que alguém faz um acordo com Deus, aceitando sua intervenção, isso traz benefícios, mas também responsabilidades. Depois que você se coloca sob a autoridade de Deus, você tem um Pai. E qualquer bom pai disciplina o filho. Para quem acha que não vale a pena se submeter a essa disciplina, podemos dizer que o pai que disciplina é o mesmo que abençoa.

Até que você se submeta a Deus, isso pode não ser muito visível, mas ficará mais claro com seu processo de evolução espiritual. O fato é que "jogar sujo" é sempre um mau negócio que pode acabar com seu nome e afastar potenciais clientes, fornecedores ou sócios.

"Aprenda a esperar. Se, apesar de todo o seu esforço e determinação, você não estiver vendo resultados, seja paciente. Entre a aceitação e a ansiedade, escolha a aceitação."

Rebbe Nachman de Breslov

18

A Lei da Mordomia

"Preste contas da sua administração."
Lucas 16:2b

Estamos diante de um dos conceitos mais radicais da Bíblia: você não é o verdadeiro dono do que tem! É um mero mordomo, um administrador, alguém que deve prestar contas daquilo que está sob sua responsabilidade. Essa lei fará com que você seja mais zeloso e menos sujeito a estrelismos, reconhecendo que o mérito em oferecer foi do outro e a obrigação de cuidar e de ser grato é sua. Se essa visão assusta você, fique com a ideia de controle acionário: Deus tem pelo menos 51% das cotas de tudo o que é seu.

O que aconteceria se Deus tivesse o controle acionário de sua empresa? Ou fosse o grande mentor de sua carreira? E se você, um industrial, um presidente de empresa, um gerente ou dono de um pequeno negócio, considerasse que tudo o que possui – bens, status, capacidade, influência – no fundo não lhe pertencesse, mas a Deus?

Pense bem: alguém que quer seguir Jesus e já lhe ofereceu sua vida não deveria colocar também seu patrimônio à disposição dele? Afinal, a vida não é mais importante que bens materiais? Não faz sentido entregar o que temos de maior valor (nós mesmos) e não entregar o de menor valor (os bens que possuímos).

Seguindo as leis bíblicas do sucesso, todos nós podemos obter bens e riquezas. Sob o ponto de vista da Lei da Mordomia, no entanto, é Deus quem nos dá tudo o que temos. Nunca conquistaríamos essas coisas sozinhos. Portanto devemos compartilhar nosso sucesso e ajudar os outros, seguindo uma política de administração saudável daquilo que nos pertence: "Não confieis na opressão, nem vos vanglorieis na rapina; se as vossas riquezas aumentarem, não ponhais nelas o coração" (Salmos 62:10).

É importante ressaltar que mordomia aqui não tem a conotação negativa que ganhou no imaginário popular. Não estamos falando de obter regalias ou ter vida fácil. Isso ocorre, por exemplo, quando um político, chefe ou CEO quer ser tratado como um rei, tratando os outros como se fossem seus mordomos. No sentido bíblico, nós é que somos os mordomos. Se você agir assim, administrará seus bens e tratará a todos com maior responsabilidade. Se um político, magistrado ou empresário seguir esse princípio, será alguém muito melhor e menos sujeito a cometer abusos. Este conceito nos remete às modernas noções de sindicabilidade e *accountability* (prestar contas aos outros e a si mesmo), cada vez mais prestigiados na sociedade e nas empresas.

MORDOMIA X LIDERANÇA

Algumas relações que envolvem algum tipo de subordinação ou autoridade podem passar a impressão totalmente equivocada de que somos donos das pessoas. Assim, pais podem achar que são donos de seus filhos ou cônjuges pensarem que o outro é sua propriedade. E há patrões e líderes (religiosos, civis, militares) que se consideram donos dos seus funcionários, o que é um absurdo. A Lei da Mordomia ajuda a acabar com essa ideia de posse, impedindo o desrespeito, os maus-tratos e as condutas criminosas, como o trabalho escravo. Não somos donos de ninguém, apenas temos o privilégio de conviver com algumas pessoas por algum tempo. Essa compreensão pode transformar o modo como nos relacionamos com o próximo.

Ao lidar com empregados, sócios ou parceiros menos experientes, devemos agir como se eles tivessem sido colocados sob nossa tutela por nosso sócio divino. Isso também vale para os familiares. Se pensarmos assim, seremos cuidadosos sem ser possessivos. Não vamos tentar segurar as pessoas conosco. Vamos incentivá-las a crescer e a se desenvolver, mesmo que isso signifique seguir um rumo diferente do nosso.

Na palestra "De um líder para outro", proferida no Willow Creek Global Leadership Summit e disponível em DVD, Jack Welch afirma que uma das características dos grandes líderes é permitir o crescimento de seus liderados. Ele diz que muitos chefes não indicam seus subordinados para cargos mais altos ou promoções para não perder esses talentos. Os bons líderes, no entanto, têm o desprendimento e a generosidade de abrir portas para aqueles que julgam merecedores dessa oportunidade, ainda que num primeiro momento sua equipe fique desfalcada. A longo prazo, porém, esses chefes terão uma capacidade muito maior de atrair novos talentos.

Ao exercer a liderança, podemos aplicar as lições que Khalil Gibran nos legou, no livro *O profeta*, a respeito de filhos, mas que podem ser perfeitamente adaptadas para lidar com subordinados ou pessoas mais jovens e/ou inexperientes:

> "Seus filhos não são seus filhos. Mas sim filhos e filhas do anseio da Vida por si mesma. Eles vêm por meio de vocês e, embora estejam com vocês, não lhes pertencem. Vocês podem lhes dar seu amor, mas não seus pensamentos, pois eles têm pensamentos próprios. Podem abrigar seus corpos, mas não suas almas, pois as almas deles residem na morada do

amanhã, que vocês não podem visitar nem mesmo em sonhos. Vocês podem se esforçar por ser como eles, mas não busquem moldá-los à sua própria imagem. Pois a vida não retrocede, nem se demora no ontem. Vocês são os arcos dos quais seus filhos são lançados como flechas vivas. O Arqueiro divisa o alvo na trilha do infinito e retesa o arco por Seu poder para que Suas flechas possam seguir rápidas e voar longe. Que vocês cedam de bom grado à mão do Arqueiro; pois da mesma forma que Ele ama a flecha que voa, ama também o arco que fica."

Por fim, a ideia de mordomia, de empréstimo e não propriedade, nos prepara para a mais difícil das realidades humanas: a morte. Saber que não teremos as pessoas que amamos ao nosso redor para sempre nos leva a um senso maior de amor, de serviço e, também, de urgência.

"Todo aquele que tem coisas de que não precisa é um ladrão."
Gandhi

19

A Lei da Adoração

"Em tudo dai graças, porque esta é a vontade de Deus em Cristo Jesus para convosco."
1 Tessalonicenses 5:18

A gratidão é uma virtude rara nos dias de hoje, pois as pessoas perderam o hábito de agradecer e não se acanham de ser desleais aos companheiros, chefes ou colegas de trabalho. Ser grato aos outros seres humanos é a base da Lei da Gratidão, abordada em nosso livro anterior. Já a Lei da Adoração trata da gratidão dirigida aos céus, a Deus – e por ser voltada para o Pai está numa dimensão mais elevada e tem caráter de louvor.

Ser grato – não apenas a Deus, mas a todas as pessoas que nos ajudam – é uma atitude muito admirável, pois nos torna mais humildes e menos sujeitos à arrogância. Não custa lembrar que excesso de autoconfiança, em geral, faz as pessoas cometerem erros. Foi assim que o *Titanic*, considerado à época insubmergível, foi a pique em sua viagem inaugural ao se chocar com um iceberg.

Quando lidamos com a intervenção de Deus, gratidão e humildade estão sempre lado a lado. A Lei da Adoração fala da capacidade humana de imputar e agradecer a Deus seu sucesso, como vemos no Antigo Testamento: "Não digas, pois, no teu coração: 'A minha força e o poder do meu braço me adquiriram estas riquezas.' Antes, te lembrarás do Senhor, teu Deus, porque é

Ele que te dá força para adquirires riquezas; para confirmar a sua aliança" (Deuteronômio 8:17-18).

Procure sempre dizer que Deus é quem dá força ao seu braço para conseguir o que deseja. Se preferir a não interferência de Deus, ao menos tente abolir a autossuficiência. Não pense que a força e a fortaleza de seu braço é que lhe deram poder. Sobre isso, o sábio Salomão declarou: "Confie no Senhor de todo o seu coração e não se apoie em seu próprio entendimento" (Provérbios 3:5).

Muitas pessoas afirmam ser gratas a Deus por tudo o que possuem, e isso é ótimo, mas outras transformam esse sentimento em algo mais prático e efetivo. Devemos não só reconhecer a atuação de Deus, mas também nos manter em um espírito de humildade e reconhecimento. Para isso é necessário:

- Estar sempre contentes e gratos a Deus, quaisquer que sejam as circunstâncias;
- Dar a ele toda a honra por nosso sucesso.

Podemos louvar a Deus de diversas formas, e não apenas nos cultos das igrejas, com cânticos, sermões, ofertas e dízimos. Podemos louvar a Deus em cada coisa que fazemos: ao varrer o chão, cozinhar, cuidar dos filhos, trabalhar com afinco, prestar um serviço excelente, criar um bom produto.

Esta lei pode nos ajudar a quebrar paradigmas. Sabemos que muitas pessoas atribuem seu sucesso apenas à própria competência. Outras reconhecem a ajuda de terceiros, mas no fundo glorificam a si mesmas. Uma forma de mudar essa visão egocêntrica é reconhecer a intervenção de Deus nas nossas conquistas – afinal, sem ele, nem estaríamos vivos. O próximo passo é transformar nossa vida e nosso trabalho numa forma de adoração, utilizando nossas habilidades para fazer justiça social e ajudar o próximo. Como diz a Bíblia: "Assim resplandeça a vossa luz diante dos homens, para que vejam as vossas boas obras e glorifiquem a vosso

Pai, que está nos céus" (Mateus 5:16). Seja brilhante não para si mesmo, mas por Deus.

Estamos entrando em uma seara bem radical: a das pessoas que não se importam se vão ganhar ou perder, se vão ter sucesso ou não. Para elas, o que interessa é honrar a Deus. Essa é uma perspectiva pouco conhecida secularmente e até mesmo nas igrejas, mas que endossa todas as outras e fortifica o sentido da caminhada de trabalho.

O filme *Desafiando gigantes* trabalha bem esse conceito. É a história do técnico Grant Taylor, desacreditado e abatido por nunca conseguir dar um título à sua equipe de futebol americano, até que uma intervenção misteriosa muda seu destino e o do seu time. O que se vê a partir de então é que os jogadores não estão preocupados com a vitória, mas em glorificar a Deus. Se enfrentarmos todo dia a labuta como se estivéssemos a serviço de Deus, o êxito será mera consequência, e uma consequência sem a qual não ficaremos infelizes. Isso tem um potencial libertador fantástico.

Quem quer ser ferramenta de trabalho de Deus faz a sua parte, independentemente do que irá alcançar. O trabalho acaba se transformando em veículo de bênçãos para os outros. Deus quer abençoar as pessoas e, nesse empreendimento, nos quer como seus sócios. É exatamente nesse ponto que podemos atingir o mais alto grau de sucesso.

Nem todos terão esse objetivo, mas considere aplicar esta lei opcional: faça com que seu trabalho e seu sucesso sejam uma forma de honrar a Deus.

"Estamos perecendo não por falta de maravilhas, mas por falta de admiração."

G. K. Chesterton

20

A Lei da Submissão

"Mas buscai primeiro o reino de Deus, e a sua justiça, e todas estas coisas vos serão acrescentadas."
Mateus 6:33

A grande empreitada de Deus no mundo é o estabelecimento de seu Reino, a implantação de uma nova "empresa", com todos os desafios decorrentes. Nossa prioridade, como seus sócios, é cuidar primeiro desse empreendimento, que ele entende mais importante que nossa carreira ou nossos negócios. Esta é a Lei da Submissão ou da Prioridade.

Como diz o pastor Rick Warren no livro *Uma vida com propósitos*: "Você não é o foco." Por mais que isso choque nossa vaidade e nosso individualismo, Warren explica com toda a clareza que "o propósito de sua vida é muito maior que a realização pessoal, a paz de espírito ou mesmo a felicidade. É muito maior que a família, a carreira ou mesmo os mais ousados sonhos e ambições. Se você quiser saber por que foi colocado no planeta, deverá começar por Deus. Você nasceu *por* um propósito dele e *para* cumprir o propósito dele".

Os pastores Jeremias Pereira e Ricardo Agreste também afirmam que o compromisso de Deus não é produzir em nós felicidade, mas maturidade. Felicidade não produz maturidade – conhecemos muitas pessoas que se consideram felizes e são infantis e imaturas.

Com maturidade, porém, é possível desenvolver um grau saudável de felicidade. Enfim, tanto o sucesso profissional quanto a própria felicidade surgem como consequências de um processo de amadurecimento e crescimento pessoal. São frutos, não a árvore.

Por outro lado, se você cuidar das coisas de Deus, ele cuidará da sua carreira. Aliás, das suas carreiras: a secular e a espiritual. Essa é outra versão de um princípio que abordamos na Lei da Ajuda ao Próximo: "Cuide da sua carreira e Deus cuidará das pessoas. Cuide das pessoas e Deus cuidará da sua carreira." A leitura da Bíblia (1 Reis 6:38 e 1 Reis 7:1) nos mostra que Salomão primeiro concluiu a Casa de Deus, o templo, e só depois sua própria casa, mostrando que suas prioridades eram as que se recomenda: primeiro o Reino de Deus e depois as demais coisas.

Ainda sobre prioridades, vale mencionar esta passagem da Bíblia: "Cuida dos teus negócios lá fora, põe o teu campo em condições e depois edifica a tua casa" (Provérbios 24:27). Muitos são os que primeiro querem comprar um belo apartamento, um carro maravilhoso, e relegam a segundo plano os investimentos e a formação de base financeira. Isso é um comportamento tolo. Primeiro você constrói seu conhecimento, depois sua empresa e só depois poderá, com segurança, fazer maiores investimentos em luxo e conforto.

Se você não é cristão e chegou até aqui na leitura do livro, sua missão é ser feliz, realizar os seus sonhos da melhor forma que puder e se realizar. Contudo, se você é cristão, existem dois níveis de vida. Por um caminho, pode decidir viver uma vida correta diante de Deus, mas sem se aprofundar no comprometimento com o Reino. Você será uma pessoa íntegra, abençoada e referência no seu meio social. Entretanto, se assim desejar, pode dar um passo mais ousado. Sua missão será estar no centro da vontade de Deus. Nossos sonhos são importantes, e Jesus quer que tenhamos vida, e vida em abundância, mas aqui o que se espera é que você se pergunte qual missão Deus lhe reservou.

Uma das primeiras leis bíblicas do sucesso é a da Visão. É preciso ter clareza sobre o que se deseja para a vida. Qual sua missão, seu sonho, sua razão de ser? Aqui, novamente, a ideia é ir além. A Lei da Submissão envolve, como o próprio nome diz, submeter as nossas missões e visões pessoais às missões e visões que Deus tem para nós.

Há muitas formas de descobrir isso e, em geral, cremos que Deus abençoa nossos sonhos (Salmo 37). Alguns querem ser empresários, presidentes de empresa, celebridades, mas isso não pode ser o foco da nossa relacão com Deus. Em seu DVD *Homem espiritual e discernimento*, Joyce Meyer trata com propriedade dessa questão:

> "Mais nem sempre é melhor. Estou feliz que todos queiram crescer, mas precisamos, antes, ser uma bênção. Querer mais só para ter mais não é bom. Isso é uma mentalidade consumista. Precisamos querer mais para abençoar mais.
> Muitos querem ser grandes pregadores, músicos famosos, ministros, e tudo o mais. Mas poucos são chamados para isso. A maioria das pessoas é chamada para ser pessoas comuns. Sabe qual é o seu chamado? O de todos? O que Deus quer que você faça? Eis a resposta: onde você estiver, viva uma vida cristã."

Caso você não queira uma vida cristã, isso é um direito que lhe assiste. Caso queira, idem. Você pode escolher para onde vai e, onde estiver, viver uma vida cristã. Isso será maravilhoso. Porém, se quiser, pode ir além e se colocar diante de Deus entregando a ele sua vida, mesmo que seja para você fazer coisas que não tinha imaginado, mas que ele venha a pedir. O grau de entrega a Deus, qualquer que seja ele, deve ser algo voluntário, feito de modo consciente.

Se você quiser indagar a Deus o que ele quer para sua vida, provavelmente haverá uma resposta e então basta segui-la. Mas, se não houver, ou enquanto não houver, Deus simplesmente quer que você faça suas escolhas, vá para onde melhor lhe parecer e *viva uma vida cristã.*

Veja no quadro a seguir que existem diferentes níveis de comprometimento:

	1º nível	2º nível	3º nível
A	Gratidão	Gratidão a Deus	Adoração
B	Lei da Utilidade	Lei da Ajuda ao Próximo (Premiada)	Lei da Ajuda ao Próximo (Desinteressada)
C	Lei da Visão	Lei da Visão Ampliada	Lei da Submissão

A. No primeiro nível, a pessoa é grata aos homens e à vida; depois agrega gratidão a Deus e, então, chega ao nível em que o que faz, por si só, já é uma forma de louvor.

B. O primeiro estágio é ser útil aos clientes internos e externos para ter sucesso profissional. O segundo é buscar ser útil ao próximo, deixando Deus cuidar de sua carreira. O terceiro é ser útil a todos e a Deus por amor, estando disponível para qualquer tarefa que ajude o próximo, sem visar a recompensas.

C. Primeiro, a pessoa cria uma visão para sua vida e sua carreira. No segundo nível, agrega à sua visão algum serviço a Deus. No terceiro, a pessoa vai além e submete sua visão e missão pessoais ao crivo da vontade de Deus, colocando-a como prioridade.

Se você escolher o primeiro nível, será ótimo e já estará acima da média. Não ir para o próximo nível não significa que você é mau, pecador ou egoísta. Trata-se de uma opção, e todas são válidas e legítimas. Se escolher o segundo, estará diante de outro modelo de sucesso e também será alguém muito útil aos propósitos de Deus. Alguns decidem ir mais longe e trabalham para alcançar o terceiro nível. Um nível não é excludente dos demais: cada passo ou degrau é uma dimensão nova, opcional, com desafios e resultados diferentes na vida pessoal e profissional.

MERGULHO NA FÉ

A completa submissão a Deus, assim como a completa capacidade de influenciar o mundo, só é alcançada quando a pessoa aceita ser preenchida pelo Espírito, como um copo que se enche de água, ou melhor, que transborda da água da vida.

Existem vários níveis de submissão e podemos traçar um paralelo com o grau de dificuldade de um homem que tenta atravessar as águas que vão subindo e tomando conta de um templo, como narrado na visão de Ezequiel 47:1-6.

Quando você decide caminhar na fé, é a fase mais fácil, como se estivesse andando com água nos tornozelos. Depois, vem a fase da oração, de novos desafios e de alguns sofrimentos enfrentados na busca por viver de forma diferente. Neste momento, é como se a água estivese na altura do joelho. No nível seguinte, a água está batendo na cintura, no lombo. É o estágio do serviço, em que você deve estar pronto para carregar as cargas do Evangelho e ajudar os outros. Por fim, vem a fase em que você está totalmente imerso no Espírito. O grau de submissão que cura, transforma e liberta é aquele em que a pessoa está inteiramente "dentro da água", aquele em que ela "pula de cabeça" e "nada de braçadas" em um rio caudaloso demais para se atravessar a pé.

Se você está disposto a entregar sua vida ao serviço de Deus, procure ir subindo pouco a pouco os degraus de intimidade com ele e vá mergulhando cada vez mais fundo na fé, até o último fio de cabelo estar imerso.

"O despertar espiritual começa com uma inspiração que vem de fora. Uma vez no caminho, o verdadeiro trabalho se inicia. Persista, e a inspiração virá de dentro."

Rebbe Nachman de Breslov

PARTE III

A intervenção divina e os milagres

"Existem apenas dois modos de viver a vida: um é como se nada fosse milagre; o outro é como se tudo fosse um milagre. Eu acredito no último."

Albert Einstein

Ao tratar do papel que Deus tem na nossa vida – e que ganha ainda mais relevância quando nos tornamos seus sócios –, não podemos deixar de abordar o tema dos milagres. Milagres, a rigor, nada mais são do que eventos extraordinários e, geralmente, inexplicáveis. Por isso geram tanta polêmica.

Claro que não é preciso acreditar em milagres para se beneficiar da sabedoria da Bíblia. As 25 leis bíblicas do sucesso, apresentadas em nosso livro anterior, já farão diferença na sua vida pessoal e profissional. Mesmo os conceitos abordados neste livro, embora estejam um passo além e pressuponham a fé em Deus, não tornam obrigatório entrar no campo do sobrenatural e dos milagres. Por exemplo, alguém que coloque em prática as condutas apresentadas na Lei da Qualidade Máxima, da Ajuda ao Próximo e da Integridade terá resultados diferenciados no trabalho, nos relacionamentos e no seu dia a dia.

Porém, sempre é possível caminhar uma milha extra ou mergulhar mais fundo nas águas da fé. E quem estiver aberto a isso pode experimentar o poder da oração e dos milagres em todas as áreas da vida, inclusive na carreira e na empresa. A Bíblia mostra que Deus opera milagres em qualquer ambiente.

Os mais céticos, porém, podem questionar a existência dos milagres. Seriam eles contrários às leis da natureza, como muitos sustentam? Entendemos que não. São acontecimentos que seguem leis que nós ainda não conhecemos. Até o início do século XX a ciência não tinha descoberto as leis que regem o mundo subatômico. Havia apenas a física clássica, newtoniana, que explica corretamente diversos fenômenos. Com a descoberta da física quântica, nos surpreendemos ao perceber que nessa dimensão existem outras leis, diferentes das que regem o mundo visível. Não existe uma contradição entre a mecânica clássica e a mecânica quântica. São apenas leis diferentes que funcionam e aplicam-se rotineiramente em seus respectivos domínios.

Assim, grosso modo, poderíamos dizer que os milagres seriam aplicações de leis que ainda não conhecemos, como também desconhecíamos o universo subatômico e, mesmo assim, ele permanecia funcionando. Agora que começamos a conhecer as leis que regem o mundo subatômico, podemos fazer e entender coisas em um espaço que antes não dominávamos. Entender melhor a fé equivalerá a abrir novas portas, tal como ocorreu quando Michael Faraday, Albert Einstein, Max Planck, Werner Heisenberg, Erwin Schrödinger, Niels Bohr e outros descortinaram o mundo onde reinam as leis da física quântica.

No final das contas, qualquer que seja a explicação, a intervenção milagrosa é fruto de uma realidade espiritual superior a qualquer lei física e algo que pode ser vivido por qualquer pessoa por meio da fé.

A boa notícia é que, ainda que ninguém tenha conseguido estabelecer a fórmula da fé, podemos praticá-la. Se Deus fosse um cientista, poria no papel a formulação matemática que explica como o mar se abre, pães e peixes se multiplicam para alimentar uma multidão ou uma mulher estéril engravida. A fé, porém, não opera com fórmulas, mas mesmo assim doenças são curadas, vidas são mudadas, empresas e carreiras são salvas. Este livro não traz as fórmulas matemáticas da fé, mas sua aplicação prática. A ideia de uma sociedade com Deus não pode ser reduzida a termos nem ter contrato registrado em cartório com firmas reconhecidas. No entanto, não duvide de que essa parceria funciona.

Os milagres podem ser ações divinas, nossas ou o resultado da combinação de nossas ações com a do nosso sócio, Deus. Independentemente do nome que queira dar, esperamos que você tenha experiências como essas na sua vida.

"Milagres não são contrários à natureza, mas apenas contrários ao que entendemos sobre a natureza."
Agostinho

21

A Lei da Intervenção Divina

"(...) porque o Senhor, Deus das recompensas, certamente lhe retribuirá."
Jeremias 51:56

Deus vai intervir na sua vida. Parte dessa intervenção é obrigatória, parte é opcional. Mesmo que alguém não creia em Deus ou não siga seus preceitos, estará sujeito às leis da natureza. Assim, seja por meio das leis físicas ou das leis espirituais, haverá uma parcela de atuação divina sobre todos. Alguns, porém, querem mais do que isso. E, para quem procura, Deus intervém de modo diferenciado.

Existem duas formas básicas de intervenção divina, pela *providência* e pela *concorrência,* sendo que na primeira Deus atua por si só providenciando o que precisamos e na segunda com a participação humana. Além disso, há as seguintes modalidades de atuação:

1. **Genérica/Ordinária** – Quando Deus age por meio das leis naturais que criou e mantém o mundo funcionando e as pessoas vivas.

   "Porque faz que o seu sol se levante sobre maus e bons, e a chuva desça sobre justos e injustos" (Mateus 5:45).
   "Da tua alta morada regas os montes; a terra se farta do fruto das tuas obras. Fazes crescer erva para os ani-

mais, e a verdura para uso do homem, de sorte que da terra tire o alimento (...)" (Salmos 104:13-14).

2. **Didática** - Deus nos ensina as leis da vida por meio da Bíblia. Esta é uma modalidade de intervenção ordinária, pois a Bíblia está disponível para todos, mas só funcionará para quem recorrer à sua sabedoria.

   "Ah, quanto amo, Senhor, a vossa lei! Durante o dia todo eu a medito. Mais sábio que meus inimigos me fizeram os vossos mandamentos, pois eles me acompanham sempre. Sou mais prudente do que todos os meus mestres, porque vossas prescrições são o único objeto de minha meditação" (Salmos 119:97-99).

   "Somente seja forte e muito corajoso! Tenha o cuidado de obedecer a toda a lei que o meu servo Moisés lhe ordenou;(...) Só então os seus caminhos prosperarão e você será bem-sucedido" (Josué 1:7-8).

3. **Miraculosa** - É a forma excepcional, embora não seja rara. Ocorre quando Deus altera o curso natural dos eventos para fazer cumprir seus propósitos ou em resposta à oração de seus servos. Discute-se se tal intervenção respeita ou não as leis da natureza (física, química, biologia, etc.), e nossa posição é a de que elas continuam funcionando perfeitamente, como discutimos na abertura desta parte. Embora existam diversos estudos mostrando a força da fé, o fato é que ainda sabemos muito pouco sobre ela.

   "Ele livra e salva, e opera sinais e maravilhas no céu e na terra" (Daniel 6:27a).

   "Ele faz coisas grandes e inescrutáveis, e maravilhas sem número" (Jó 5:9).

4. **Individualizada** - Quando Deus, por alguma razão, atua de

modo diferenciado para um indivíduo ou grupo de indivíduos. Essa intervenção pode ter relação com o que a pessoa faz (oração ou merecimento), ou decorrer unicamente da vontade de Deus. Um exemplo foi Deus, em sua soberania, ter escolhido Israel como seu povo. Outro exemplo: existiam muitos pastores em Israel, mas Davi foi o escolhido para ser rei. Essa escolha não nos parece aleatória: ao menos em parte teve relação com a forma como o jovem Davi agia e pensava, demonstrando fé e coragem.

A atuação individualizada de Deus mostra sua natureza e seu cuidado pessoal com os seres humanos e pode ser *seletiva* ou *misericordiosa*. No primeiro caso, a atuação de Deus está relacionada a algum merecimento ou ação humana. A história de Davi também é válida aqui, pois sua fé e coragem contribuíram para ele ser "selecionado". Veja outros exemplos:

> Deus escolheu os levitas para carregarem a Arca: *"Então disse Davi: 'Ninguém pode levar a arca de Deus, senão os levitas; porque o Senhor os escolheu, para levar a arca de Deus, e para o servirem eternamente"* (1 Crônicas 15:2).
>
> Deus honrou a devoção do rei Uzias com proteção e ajuda: *"Porque deu-se a buscar a Deus nos dias de Zacarias, (...); e nos dias em que buscou ao Senhor, Deus o fez prosperar"* (2 Crônicas 26:5).

A intervenção é misericordiosa quando Deus socorre uma pessoa ou grupo de pessoas, apesar de, ao nosso ver, não haver razão ou merecimento. Um exemplo dessa modalidade está em Deus ter ouvido a aflição de Agar, serva de Sara, depois que ela soube que daria à luz Ismael, filho de Abraão.

> Deus abençoou a descendência de Agar: *"Disse-lhe também o anjo do Senhor: 'Eis que concebeste, e da-*

rás à luz um filho, e chamarás o seu nome Ismael; porquanto o Senhor ouviu a tua aflição. E ele será homem feroz, e a sua mão será contra todos, e a mão de todos contra ele; e habitará diante da face de todos os seus irmãos'" (Gênesis 16:11-12).

Deus nos trata melhor do que merecemos: "*Não nos trata segundo os nossos pecados, nem nos retribui segundo as nossas iniquidades*" (Salmos 103:10).

5. **Concorrente (em parceria)** – Quando Deus se vale, em maior ou menor grau, da atuação de seres humanos para realizar algum propósito. Neste ponto é que entra a sociedade com Deus. Essa atuação concorrente pode ocorrer de uma forma tradicional (quando as duas partes agem), isolada (quando apenas Deus age, após alguma oração) ou mitigada (quando a pessoa até faz alguma coisa, mas que não seria suficiente para produzir o resultado esperado).

A SORTE

Já falamos sobre sorte nas 25 leis do sucesso, mas queremos ir um pouco além. Existem alguns textos bíblicos que falam sobre sorte e acaso: "A sorte faz cessar os pleitos, e faz separação entre os poderosos" (Provérbios 18:18) e "Observei ainda e vi que debaixo do sol não é dos ligeiros a carreira, nem dos fortes a peleja, nem tampouco dos sábios o pão, nem ainda dos prudentes a riqueza, nem dos entendidos o favor; mas que a ocasião e a sorte ocorrem a todos" (Eclesiastes 9:11).

Quando a sorte ou o acaso atingem a todos, temos uma manifestação de leis genéricas e um forte princípio de igualdade. Por outro lado, quando Deus *muda nossa sorte* e intervém de modo isolado, seletivo ou misericordioso, vemos a atuação das leis divinas que se aplicam a quem pede ajuda. Nesse ponto, a sorte deixa de ter um conteúdo aleatório e passa a ser mais um instrumento favorável aos que buscam tal favor.

Não existe injustiça nisso pois tal favor está disponível a todos. Como se diz na área jurídica, "o Direito não socorre a quem dorme" (*dormientibus non sucurrit jus)*, ou seja, se você tem um direito e não o busca ou defende, não pode reclamar depois. É o caso aqui: Deus está disponível para ajudar e, ao mesmo tempo, respeita a decisão pessoal de quem não deseja sua intervenção.

A SOBERANIA DE DEUS

Não podemos esquecer que tudo isso é regido por Deus. Apenas ele, em sua soberania, é quem pode definir as hipóteses nas quais atuará e de que forma. Por mais que isso nos incomode ou nos deixe confusos, só Deus é quem vai dizer quando abrirá exceções, por exemplo. Às vezes, quando ele parece não estar agindo, ocorre o que chamamos de "silêncio de Deus". Quem não acredita no Criador também lida com os mesmos "incidentes", chamando-os de "destino", "acaso", "imponderável", "sorte" ou "azar".

Todo esse estudo parte do pressuposto de que Deus intervém na medida certa. Afinal, um Deus perfeito não iria intervir na medida errada. O problema é que nós, em nossas imperfeições, às vezes tememos que Deus não saiba agir. Felizmente, ele atuará na medida certa porque é bom pai, sábio e poderoso. E ao conhecer e compreender melhor como Deus age, você conseguirá lidar mais facilmente com essa dimensão em sua vida.

Deus está mais que interessado em ter uma parceria com você do que em fazer milagres. Os milagres não são o cerne da relação com Deus. O cerne é a intimidade com ele e a redenção por meio do Messias. Aí começa uma parceria que deve mostrar efeitos em todas as áreas de sua vida: emocional, casamento, família, trabalho, finanças, etc.

A parceria funciona como se fosse um bote. Imagine você

usando um remo e Deus usando o outro. Os dois remando em sincronia e para o mesmo destino. Também podemos fazer um paralelo com os trilhos de um trem: de um lado é o que Deus faz, o trilho divino; do outro, é a sua parte, o trilho humano. E o trem passa sobre os trilhos e avança.

"Tenho visto o trabalho que Deus deu aos filhos dos homens,
para com ele os exercitar.
Tudo fez formoso em seu tempo; também pôs o mundo
no coração do homem, sem que este possa descobrir
a obra que Deus fez desde o princípio até o fim."
Eclesiastes 3:10-11

22

A Lei dos Milagres Humanos

"Porque desde a antiguidade não se ouviu, nem com ouvidos se percebeu, nem com os olhos se viu um Deus além de ti que trabalha para aquele que nele espera."
Isaías 64:4

Nick Vujicic, palestrante internacionalmente conhecido e que nasceu sem braços e pernas, afirma em seu livro *Uma vida sem limites* que por muito tempo pediu a Deus um milagre: que um dia, quando acordasse, tivesse braços e pernas. Depois de um tempo sem ser atendido, concluiu que Deus esperava que *ele* fosse o milagre: "Encontrei a felicidade quando entendi que, por mais imperfeito que eu seja, sou o perfeito Nick Vujicic. Sou uma obra de Deus, criado de acordo com o plano que ele designou para mim. Isso não é o mesmo que dizer que não há espaço para aperfeiçoamento. Sempre tento melhorar, para que, assim, possa servir melhor a ele e ao mundo!"

Às vezes, Deus não faz o milagre porque ele quer que façamos os nossos. Quando estamos em uma situação difícil, podem existir três motivos:

- Nós a semeamos e, enquanto não plantarmos outras sementes e aguardarmos que floresçam, continuaremos a colher os mesmos resultados.
- Deus está nos preparando para alguma missão, assim como fez com José, Moisés, Davi e tantos outros.

- Deus já está nos dando uma missão, exatamente ali onde a dificuldade se encontra.

No livro *A Cabana*, William P. Young diz que Deus não precisa nos punir pelos nossos erros, pois os erros já nos punem sozinhos. As pessoas às vezes acham que Deus as está castigando, mas não é o caso. Muitas vezes, elas estão apenas colhendo o que escolheram plantar.

Como exemplo de uma situação em que Deus nos prepara para suas missões, temos o caso de Davi que, perseguido por Saul, se refugiou na caverna de Adulão, cheia de homens também perseguidos. Ele poderia ter reclamado do lugar onde estava, mas, ao contrário, transformou aqueles homens rejeitados pela sociedade em uma tropa de elite (1 Samuel 22:1-5).

No terceiro caso, quanto maior a dificuldade, maior é a demonstração da confiança que Deus deposita na nossa capacidade de influenciar positivamente o lugar onde estamos. Um bom exemplo disso foi Deus ter permitido que Paulo e Silas fossem levados injustamente para a prisão, o local onde seriam usados para salvar o carcereiro e toda a sua família (Atos 16:25-33).

Sempre que estiver em uma situação difícil, reflita se foi você mesmo quem a produziu por meio de seus pensamentos, escolhas ou atos; se a vida (ou Deus) está tentando lhe ensinar alguma coisa, ou se há algo que você possa fazer pelas pessoas ao seu redor. Relembrando o que já dissemos na Lei do Treinamento: quando Deus não muda as circunstâncias, ele quer mudar você.

MILAGRES FEITOS PELO HOMEM

O ser humano pode fazer milagres. E o primeiro deles ocorre quando alguém dá um passo de fé e decide servir, ajudar e amar o próximo como a si mesmo. Neste caso, *a pessoa se torna o milagre.* A grande transformação é aquela que se dá em seu interior. Em linguagem bíblica, ela passa a ter um "espírito novo", substitui "um coração de pedra" por "um coração de carne" (Ezequiel 11:19).

Aqui a principal pessoa ajudada é aquela que decidiu mudar. Ela será a primeira a colher os frutos dessa mudança. No trabalho, este tipo de milagre acontece, por exemplo, quando um profissional preguiçoso, incompetente, reclamão ou egoísta resolve mudar de atitude e se torna um exemplo de excelência. Cada lei bíblica que ele coloca em prática não deixa de ser um milagre, uma "travessia do mar Vermelho", que irá produzir efeitos em sua própria vida e ao seu redor (na empresa, na família, etc.).

O segundo tipo de milagre que os homens fazem é deixar que Deus atue através deles para *ajudar alguém que está precisando.* Imagine que você resolve fazer o bem em meio a uma dificuldade, a agir de forma generosa e nobre. Nesta situação, além de se ajudar, você socorre outra pessoa. Você se beneficia por meio da Semeadura ou do Retorno (o que você faz volta para você), e também por colher os ganhos psicológicos e espirituais de fazer o bem.

Cada pessoa que dá uma oportunidade, um bom conselho, uma bolsa de estudos ou uma segunda chance a quem necessita está fazendo parte do projeto de Deus de que todos tenham "vida em abundância". Como exemplos de grande monta, repare quanto Madre Teresa de Calcutá e Martin Luther King Jr. fizeram pelo próximo.

Muitas vezes Deus realiza seus milagres por meio de homens e mulheres disponíveis para exercer essas missões. Pessoas que, como consequência de sua sociedade com Deus, sacrificam os próprios interesses, tempo e patrimônio para ajudar outras. Você não precisa ser uma Madre Teresa para ser veículo desse tipo de milagre humano: é possível fazer a diferença exatamente onde você está agora, basta melhorar suas atitudes. Não despreze o seu poder pessoal. Como diz o vencedor do Prêmio Nobel da Paz Desmond Tutu, "o oceano não é nada senão uma multidão de gotas". Seja a melhor gota que puder e você influenciará o oceano.

MILAGRES FEITOS POR DEUS

Quando *Deus age de forma direta*, realizando algo fora do comum, estamos diante do que é considerado tradicionalmente um milagre. É o momento, por exemplo, em que Deus "abre a cabeça" de Salomão e coloca sabedoria (2 Crônicas 1:10-12), para o Sol (Josué 10:12), abre o mar Vermelho (Êxodo 14.21), faz o machado flutuar (2 Reis 6:6). É quando Jesus cura pessoas doentes ou as ressuscita (Marcos 5:22-43). Dentro da sua soberania e na medida em que considerar oportuno, Deus é quem faz ou não essa intervenção especial. Simplesmente porque ele é Deus.

Se você ainda não viveu experiências como essas, saiba que elas acontecem. Se não acredita, tudo bem. Mas esteja aberto, pelo menos, aos milagres em que o protagonista é *você*. Davi venceu Golias e você pode vencer gigantes. Jesus multiplicou pães e peixes para alimentar uma multidão, você pode ajudar o próximo. Jesus transformou água em vinho para salvar uma festa de casamento e, *se você quiser*, ele pode transformar sua vida. Quando alguém muda de vida, não será água virando vinho? Quando uma pessoa supera um grande desafio, não estará abrindo passagem num mar de dificuldades?

Para os céticos ou incrédulos, não custa apresentar alguns dados científicos irrefutáveis de que a vida é, por si só, um milagre. Num estudo recente, tendo como base dados da Nasa, astrônomos calcularam que só na Via Láctea existem 8,8 bilhões de planetas do tamanho da Terra que orbitam ao redor de estrelas semelhantes ao Sol. Esses planetas se encontram numa zona considerada habitável em termos de temperatura (nem muito fria, nem muito quente). E essa estimativa diz respeito apenas à nossa galáxia! Existem bilhões de outras galáxias no Universo, o que – do ponto de vista científico – aumenta ainda mais a probabilidade de que exista vida em outro planeta. Mas até hoje não descobrimos evidências disso.

Das duas, uma: ou Deus não existe e temos realmente *mui-*

ta sorte, ou Deus está apostando tudo em nós. Em qualquer das duas hipóteses a pessoa precisa ter muita fé, seja ela em Deus... ou na sorte! Estamos no grupo dos que acreditam que o Criador do Universo realmente quer ter uma parceria com os seres humanos. Cada pessoa em particular – e o planeta como um todo – é parte de um grande empreendimento divino.

Gostamos de dizer o seguinte: "Nós não acreditamos em milagres, nós dependemos deles." E, na maior parte das vezes, se nos tornamos sócios de Deus, somos convidados a ser um milagre e, inevitavelmente, isso irá produzir outros.

"Os olhos do Senhor correm a terra, em busca daqueles cujo coração é totalmente d'Ele, para mostrar para esses o seu braço forte."
2 Crônicas 16:9

23

A Lei dos Milagres Provocados

"E disse-lhe: 'Deixa-me partir, porque a aurora se levanta.' 'Não te deixarei partir', respondeu Jacó, 'antes que me tenhas abençoado'."
Gênesis 32:26

Como conseguir um milagre? Ainda que possa parecer presunçoso pretender isso, há inúmeros relatos na Bíblia e na história de pessoas que pediram um milagre e ele aconteceu. Logo, as evidências são de que Deus está disposto a realizá-los em determinadas circunstâncias, e uma delas, a mais evidente de todas, é justamente a oração. Mas não é apenas a oração que proporciona isso.

Milagres acontecem muitas vezes para quem pede ou procura a ajuda de Deus. Repare que existiam muitos cegos na Palestina, mas, na maioria das ocasiões, Jesus só curou os que lhe pediram isso. Mesmo quando era procurado por um cego, Jesus indagava o que ele queria, apesar de parecer óbvio que seu desejo era ter a visão restaurada. Ou seja, até mesmo quando há uma ação misericordiosa, com frequência ela acontece para quem a pede.

A ajuda de Deus pode ser direcionada a um grupo de pessoas ou a um único indivíduo. Ao ler a Bíblia, vemos batalhas em que Deus claramente se posiciona a favor de um dos lados, concedendo-lhe a vitória. As razões que o fazem escolher um ou outro nem sempre são reveladas, às vezes permanecendo um mistério. Deus é soberano em suas decisões, portanto a melhor recomendação é se submeter à vontade dele. Como escreveu Clarice Lispector: "Não se preocupe em entender; viver ultrapassa qualquer entendimento." Parafraseando-a, podemos dizer: "Não se preocupe em entender; milagres e fé ultrapassam nosso entendimento."

Como já dissemos, Deus não tem nenhuma obrigação de fazer milagres só porque assim desejamos. Deus não é nosso empregado ou servo, mas sim o contrário. Por outro lado, é comum que ele realize um milagre quando alguém pede, procura ou trabalha por ele.

Sem perder de vista que riqueza e sucesso não são prioridades para Deus, você pode, sim, pedir uma intervenção especial na sua vida profissional. Isso é possível. Podemos dizer, de forma bem franca, que conseguimos muitas vitórias em nossa carreira porque seguimos as dicas da Bíblia e as leis espirituais de sucesso. Outras vezes, no entanto, o que mudou nossa vida foi o mais claro, evidente e inquestionável milagre. Pessoas melhores do que nós, mais inteligentes e mais capazes não conseguiram chegar aonde chegamos. Se nós chegamos, foi porque Deus nos abençoou.

A INTERVENÇÃO DIVINA SELETIVA

Deus ajuda a todos, mas às vezes age de modo individualizado. A intervenção divina seletiva costuma acontecer, em geral, para quem está trabalhando, para quem pede ajuda, para quem se dedica mais ao próximo e ao serviço de Deus e para quem obedece à Palavra.

1. **Deus procura seus servos enquanto eles trabalham:** Deus raramente procura preguiçosos! Ele costuma se apresentar às pessoas quando elas estão trabalhando. Vejamos alguns exemplos. Moisés estava conduzindo o rebanho de seu sogro quando Deus apareceu para ele na sarça ardente (Êxodo 3:1-3). Eliseu estava arando a terra com doze parelhas de bois quando foi chamado para servir junto com

o profeta Elias (1 Reis 19:19-21). Davi pastoreava as ovelhas de seu pai quando Samuel mandou chamá-lo (1 Samuel 16:11). Pedro e seus amigos estavam lavando as redes de pesca quando Jesus chegou até eles (Lucas 5:1-11).

Um fato curioso é que, ao ser convocado por Jesus para ser um pescador de homens, Pedro não largou seu barco ao léu, mas o levou para a terra, demonstrando um princípio importante que é fechar direito uma fase antes de partir para outra. Ou seja, sempre que sair de um emprego, faça isso de modo digno, deixando as portas abertas. Nunca despreze ou ofenda ninguém do lugar de onde está partindo.

Ainda sobre o episódio da pesca maravilhosa, a edição de estudo do Novo Testamento na tradução King James observa: "É digno de nota o fato de Jesus haver escolhido seus discípulos entre homens que estavam dedicados a um trabalho árduo, não entre líderes religiosos preguiçosos e desocupados." Logo, se você quer que Deus o procure, trabalhe. Ele aparecerá na sarça, ungirá você, fará a parte dele.

Embora tenha sido usada em outro contexto, a citação de Êxodo 34:20 também pode ser aplicada aqui: "Ninguém compareça perante mim de mãos vazias." Uma das formas de não ter as mãos vazias é mantê-las empenhadas em algum ofício ou atividade.

2. **Deus procura quem pede:** A segunda força que atrai a atenção de Deus é a oração. Jesus disse que "muitos leprosos havia em Israel no tempo do profeta Eliseu, e nenhum deles foi purificado, senão Naamã, o siro" (Lucas 4:27). O que Naamã tinha de diferente? Ele procurou a cura, procurou o profeta e, mesmo após alguma tergiversação, teve a humildade de obedecer à sua recomendação de dar sete mergulhos no rio Jordão. Esse é o primeiro caminho para o milagre: busca, pedido, obediência, humildade. A força da soma dos dois primeiros itens, trabalho e oração, pode ser resumida no que

disse Francis Cardinal Spellman: "Aja como se dependesse só de você e confie como se dependesse só de Deus."

3. **Deus procura quem está ajudando o próximo:** A terceira forma pela qual alguém costuma alcançar a bênção de Deus ocorre quando a pessoa está a serviço de outra. Um belo exemplo é o de Jó, que se dispôs a orar pelos amigos que seriam castigados por Deus e foi abençoado: "Jeová tirou o cativeiro de Jó, quando este orava pelos seus amigos; e deu-lhe o dobro do que antes possuía" (Jó 42:10).
   Quando alguém se preocupa com os outros, parece que Deus se preocupa em cuidar dessa pessoa. Não vamos discutir se isso é uma forma de compensação ou prêmio, ou apenas a aplicação das leis espirituais. Este não é um livro teórico, e sim prático – e, na prática, quando alguém cuida dos filhos de Deus, Deus mesmo cuida dessa pessoa.

4. **Deus procura quem está obedecendo à Palavra:** A quarta forma pela qual alguém costuma alcançar a bênção de Deus é como retribuição a um comportamento exemplar. Quanto mais obedecemos à Palavra, mais nos habilitamos a ser objeto e canal da atuação sobrenatural de Deus. Nesse sentido, veja o que disse Jesus: "(...) Se alguém me amar, guardará a minha palavra; e meu Pai o amará, e viremos a ele, e faremos nele morada. Quem não me ama, não guarda as minhas palavras; ora, a palavra que estais ouvindo não é minha, mas do Pai que me enviou" (João 14:23-24).
   Por outro lado, a pessoa deve ter cuidado para não ficar tão focada na obediência, algo bom, a ponto de se tornar legalista, o que é ruim. Nunca devemos perder de vista a natureza amorosa de Deus, que é tão veemente quanto sua natureza de justiça. E, claro, nunca devemos esquecer que ele veio nos apresentar a graça, ou seja, a sua benevolência sem fim.

Deus pode capacitar alguém a obedecer? Claro que pode. Mas o que vemos na Bíblia é que Deus não costuma fazer o trabalho que é dos homens. Geralmente Deus usa quem é obediente, fiel e se capacitou, como Davi, Daniel, Paulo, etc. Deus sempre multiplica o que somos (e não só o que temos). O grande sinal da presença dele na vida de alguém não é a mudança profissional ou financeira, mas de coração, atitudes e comportamentos. Dizem que Deus ama tanto as pessoas que as aceita do jeito que são, e as ama tanto que não irá deixá-las continuar como estão.

AÇÃO COERENTE E CONSTANTE

Muitas vezes limitamos a influência e o poder da religação com Deus ao contexto da igreja. Só que convivência com Deus e espiritualidade não podem estar restritos a um dia da semana. Quanto mais você caminhar com Deus, mais ele atuará em sua vida. A sociedade atual é mais voltada para o individualismo, e as relações estão cada vez mais transitórias e utilitárias. Muitas pessoas querem se relacionar com Deus dessa forma, como se ele fosse alguém que atende orações, faz milagres, abre portas, dá conforto... mas não estão dispostas a ir mais fundo na relação já que isso envolve abrir mão de algumas coisas e, principalmente, se preocupar com o próximo, ser íntegro, solidário, etc. Reflita sobre isso e busque padrões mais elevados para a sua vida.

Saiba que você é capaz de praticar boas obras, mudar comportamentos, abandonar vícios, desenvolver um coração generoso. Se achar que não consegue forças para fazer tudo isso sozinho, esteja certo de que pode contar com a ajuda de Deus.

"Eu posso não estar onde gostaria de estar, mas estou feliz por saber que estou a caminho."
Joyce Meyer

24

A Lei da Parceria

"Porque nós somos cooperadores de Deus."

1 Coríntios 3:9

Hoje em dia existem especialistas em recrutar talentos para as grandes empresas chamados de headhunters, o que numa tradução literal significa "caçadores de cabeças". Enquanto o headhunter procura no mercado o profissional mais qualificado ao cargo que precisa ser preenchido, Deus age como uma espécie de "hearthunter", ou seja, um caçador de corações. Ele procura quem se dispõe a lhe entregar seu coração e a confiar nele, alguém que aceite tirar um "coração de pedra" e receber, em seu lugar, um "novo coração". Este é um milagre em parceria: a pessoa se dispõe a ser moldada por Deus, e Deus age na vida dessa pessoa, dando-lhe uma força que ela não teria sozinha. Deus se propõe a nos treinar e nos apoiar, mas isso não nos isenta de buscar a excelência, superar nossas fragilidades e nos dedicarmos ao trabalho e ao estudo.

O conjunto da ação divina e humana irá nos levar a uma situação de estabilidade, paz e tranquilidade a que podemos chamar de prosperidade. Não uma prosperidade gratuita nem limitada a bens materiais, mas uma situação de bem-estar integral, envolvendo também saúde, família, lazer e serviço.

Como sempre dizemos, parte do sucesso decorre de esforço

pessoal e outra parte das bênçãos de Deus. E, quanto mais nos esforçamos, mais abrimos as portas para o sucesso e para a intervenção divina. Deus pode fazer o milagre sozinho, mas, em geral, trabalha com o que seu parceiro tem nas mãos – e pode intervir em todas as áreas da sua vida, inclusive na parte profissional e financeira. Só depende de você decidir se vai abrir todas as portas para ele ou só algumas.

DEUS NÃO VENDE FAVORES

Por mais ousada que pareça, a ideia de ter uma sociedade com Deus é bíblica. Deus é um Deus de pactos, todos sabem disso. E vemos que ele tem muito boa vontade para aceitar propostas de parceria, nem todas vantajosas. Jabez, por exemplo, pediu a Deus que mudasse sua história e não ofereceu absolutamente nada em troca. O mais surpreendente foi que Deus ouviu a proposta e a atendeu, como vemos na Bíblia: "Jabez orou ao Deus de Israel: 'Ah, abençoa-me e aumenta as minhas terras! Que a tua mão esteja comigo, guardando-me de males e livrando-me de dores.' E Deus atendeu ao seu pedido" (1 Crônicas 4:10).

Jacó também pediu ajuda, mas ofereceu dar 10% de tudo o que ganhasse e construir um templo. A proposta foi bem melhor do que a de Jabez, mas mesmo assim a "participação" de Deus nos resultados seria pequena. Confira a passagem do Antigo Testamento: "Fez também Jacó um voto, dizendo: 'Se Deus for comigo e me guardar neste caminho que vou seguindo, e me der pão para comer e vestes para vestir, de modo que eu volte em paz à casa de meu pai, e se o Senhor for o meu Deus, então esta pedra que tenho posto como coluna será casa de Deus; e de tudo quanto me deres, certamente te darei o dízimo'" (Gênesis 28:20-22). E Deus a aceitou.

É importante ressaltar a diferença entre ser grato e querer comprar favores de Deus. Jacó queria uma verdadeira parceria com Deus e ofereceu o dízimo como forma de gratidão, mas Simão, o mago, buscou receber bênçãos divinas em troca de dinheiro e sua proposta foi recusada. Deus não age assim. Ele deseja ter sócios íntegros. Por isso, Simão foi censurado por Pedro: "O teu dinheiro seja contigo para perdição, pois cuidaste que o dom de Deus se alcança por dinheiro. Arrepende-te, pois, dessa tua iniquidade, e ora a Deus, para que porventura te seja perdoado o pensamento do teu coração" (Atos 8:21-23).

Deus aceita propostas, algumas aparentemente "ruins", sem contrapartida, outras com percentuais variados. Para estabelecer a parceria, ele é pouco exigente, aceitando todo tipo de pessoa. A Bíblia traz exemplos de quem não ofereceu nada ou muito pouco, mas também fala dos que ousaram entregar toda a sua vida, seus bens e talentos a Deus. Foi o caso do coletor de impostos Mateus, que largou um cargo público bem remunerado para seguir Jesus (Lucas 5:27-28). Ou seja, existem pessoas que entregam 100% não só do que ganham, mas do que são a Deus.

Durante a relação com seus sócios, contudo, sem deixar de ser um companheiro amoroso e gentil, Deus demonstra querer que o homem ou a mulher que está com ele vá se aperfeiçoando e crescendo. Portanto, não fique com receio de iniciar essa sociedade, não se preocupe se em um primeiro momento os percentuais que você tem a oferecer forem pequenos. À medida que a parceria for dando certo, vocês poderão fazer novos pactos.

NA FRENTE DE BATALHA

Na maioria das vezes Deus divide tarefas com os homens, no que chamamos de intervenção em parceria. Em outras, a intervenção divina é isolada, ou seja, algumas batalhas da vida é Deus quem vence por nós. Mas quando ele age sozinho, sem nossa participação, faz isso com base na parceria anteriormente estabelecida. Se existe alguma atuação humana, ela se resume a orar e entregar o assunto para Deus.

Temos um exemplo de intervenção isolada quando o rei da Assíria estava para invadir a Terra Santa. Deus tranquilizou Ezequias, rei de Judá, com as seguintes palavras: "Ele não invadirá esta cidade nem disparará contra ela uma só flecha. Não a enfrentará com escudo nem construirá rampas de cerco contra ela" (2 Reis 19:32). A resposta do Senhor veio depois que Ezequias pediu sua ajuda diante do poderoso exército do cruel e arrogante Senaqueribe, rei da Assíria, que buscava sua rendição. Em uma única noite, no ano de 713 a.C., um anjo matou 185 mil soldados assírios, dando vitória a Ezequias e protegendo a cidade.

Em alguns momentos, a melhor coisa a fazer é aguardar com paciência e fé em Deus. Essa situação está descrita em alguns versos bíblicos: "Descansa no Senhor, e espera nele" (Salmos 37:7a) e "Esperei com paciência no Senhor, e ele se inclinou para mim e ouviu o meu clamor" (Salmos 40:1).

Há também outro tipo de intervenção, a mitigada, aquela em que o homem chega a fazer alguma coisa, mas que por si só não produziria o resultado esperado. Estamos, nesse caso, diante de uma ação humana inócua, mas praticada com fé. E fé agrada a Deus.

O livro de Juízes 7:1-8 relata uma batalha em que trezentos homens venceram exércitos inimigos de vários povos. O exército de Israel tinha 32 mil homens para lutar, mas Deus, no final das contas, só permitiu que Gideão fosse para a batalha com trezentos soldados, pois não queria que os homens achassem que tinham vencido por sua força, e sim pela de Deus.

APROFUNDANDO SUA SOCIEDADE COM DEUS

Uma sociedade com Deus deve ir muito além de carreira, empresa e negócios. Ela significa tornar Deus seu sócio no grande empreendimento da vida. Aplicar as leis bíblicas apenas para ter sucesso profissional até funciona, mas seria triste ver alguém agir bem apenas para enriquecer. Melhor seria focar na fidelidade a Deus. Se for assim, os resultados também virão, talvez até em maior monta, abrangendo outras áreas e trazendo harmonia familiar.

O cristianismo tem um primeiro momento de perdão, redenção e salvação, mas em seguida propõe mudanças de coração e conduta que não são tão simples quanto ser "salvo pela fé". A salvação é simples, a santificação, não. Receber milagres todos querem, mas ser ou fazer milagres, nem tanto. Jesus disse que veio para os cansados e oprimidos, que nos daria alívio, e que seu jugo é suave e seu fardo é leve. Mas repare: há um *jugo* e há um *fardo*. Este livro é uma proposta de reflexão sobre este jugo e este fardo de Jesus dentro de todos os ambientes.

Como sócio de Deus, você será desafiado a levar os valores bíblicos para o cotidiano das pessoas e das empresas. Não são bons servos nem sócios aqueles que falam em Deus e ainda assim fraudam, furtam, desviam, têm lucro exagerado, não exercem o amor e a solidariedade, maltratam funcionários, clientes, filhos e cônjuges. O certo é se arrepender e mudar – e praticar o bem.

O profeta Isaías (58:6-11) revela que a saudável devoção a Deus se expressa mais nos atos de correção e bondade do que nos jejuns e nas celebrações religiosas. Jejuns e orações agradam menos que o arrependimento, o amor ao próximo e a prática da justiça.

A Bíblia propõe um modelo alternativo de planeta, pessoas e valores. Como disse o reverendo Desmond Tutu: "Oxalá vejam o impacto que o cristianismo exerce sobre o caráter e sobre a vida de seus adeptos, de modo que os não cristãos queiram, por sua vez, se tornar cristãos, assim como os pagãos dos tempos primevos foram atraídos para a igreja não tanto pelas pregações quanto pelo que enxergavam na vida dos cristãos, o que os fazia exclamar, espantados: 'Como esses cristãos amam uns aos outros!'"

Quando uma pessoa pratica o que a Bíblia ensina, cedo ou tarde será percebida como alguém que faz sempre seu melhor. Todos ao seu redor vão perceber: o patrão, o sócio, os chefes, os subordinados, os colegas, os concorrentes, a família, os amigos. E isso trará benefícios e excelentes resultados, tanto para a pessoa quanto para a divulgação da Palavra de Deus. Por outro lado, quando alguém se diz seguidor dos princípios bíblicos, mas demonstra não ter caráter, cria o efeito contrário, afastando as pessoas de Deus.

A Bíblia diz: "Portanto, também nós, visto que temos a rodear-nos tão grande nuvem de testemunhas, desembaraçando-nos de todo peso e do pecado que tenazmente nos assedia, corramos, com perseverança, a carreira que nos está proposta" (Hebreus 12:1). Devemos andar corretamente, ter perseverança e focar nosso objetivo. Trabalhar bem também é uma forma de pregação. A frase atribuída tanto a Agostinho quanto a Francisco de Assis resume bem a ideia: "Pregue sempre; se precisar, use as palavras." Essa ideia também é clara em Paulo, que diz que os cristãos são uma carta de Cristo, que será conhecida e lida por todos (2 Coríntios 3:2-3). A sociedade com Deus envolve não só ter fé, mas também agir bem.

"Para o triunfo do mal, só é preciso que os homens bons não façam nada."
Edmund Burke

25

A Lei do Sucesso Eterno

"Examinai tudo. Retende o bem."

1 Tessalonicenses 5:21

"Ouçam agora, vocês que dizem: 'Hoje ou amanhã iremos para esta ou aquela cidade, passaremos um ano ali, faremos negócios e ganharemos dinheiro'" (Tiago 4:13). Este trecho da Bíblia é ótimo para passar a ideia de empreender, mas seu sentido original é advertir que nossos planos devem levar em conta a instabilidade da vida, como vemos no versículo seguinte: "Vocês nem sabem o que lhes acontecerá amanhã! Que é a sua vida? Vocês são como a neblina que aparece por um pouco de tempo e depois se dissipa."

É exatamente porque a neblina vai desaparecer em breve que Jesus nos alerta: "Que aproveita ao homem ganhar o mundo inteiro, se perder a sua alma? Ou que dará o homem em recompensa da sua alma?" (Mateus 16:26). Essa pergunta, repetida em Marcos 8:36 e Lucas 9:25, não pode ficar sem resposta.

Esta é a última e mais importante das 50 leis bíblicas do sucesso. E, como acontece com todas as outras, sua aplicação só depende de você. É você quem vai decidir se a seguirá ou não, e é você quem terá que assumir as consequências da sua escolha. Semear é opcional, mas colher é obrigatório – e não há como plantar uma semente e querer colher o fruto de outra. Isso funciona para qualquer das leis da natureza, inclusive as espirituais. Esta lei é fundamental porque trata da vida após a morte.

Uma das grandes contribuições dos nossos dois livros sobre as leis bíblicas do sucesso é mostrar que esta fonte de sabedoria milenar traz valiosas lições para a sua vida profissional. A atitude corajosa, neste momento, é ter determinação para identificar o que está certo e o que está errado em sua trajetória de trabalho, ser proativo para fazer as mudanças necessárias e manter princípios e orientações sempre em mente.

No livro *As 25 leis bíblicas do sucesso*, apresentamos conceitos aplicáveis a todas as pessoas, independentemente de elas terem ou não fé ou religião. Aqui, contudo, ao tratar da sociedade com Deus, não há como fugir da questão espiritual, pois há comportamentos que só fazem sentido para quem crê em um Deus que age e que é ao mesmo tempo justo e bom. Apesar de nosso foco de estudo ser o êxito profissional, financeiro e pessoal, não podemos perder de vista que a Bíblia fala também da vida após a morte.

Afinal, de que adianta você ter sucesso profissional e financeiro por 50, 70, 90 anos... e não passar a eternidade no céu? Fazendo um paralelo, viver 100 anos de fartura para acabar no inferno seria ainda pior do que ganhar 1 milhão de reais por mês e depois, ao se aposentar, ter que sobreviver com um salário mínimo mensal, sem usufruir dos bens ou investimentos anteriores. Não vale a pena "vender a alma ao diabo" para ter uma vida bem-sucedida e, depois, fracassar na hora de escolher onde irá passar a eternidade.

Jesus disse que "a vida do homem não consiste na abundância dos bens que possui" (Lucas 12:15). Consiste em viver em paz aqui na Terra e garantir uma vida eterna no melhor lugar possível. Em suma, não adianta você seguir todas as outras leis bíblicas e se esquecer da Lei do Sucesso Eterno, também chamada de Lei da Salvação. Ela propõe que, ao seu sucesso profissional e financeiro, você some o sucesso da sua alma, que é imortal.

Aqui vale lembrar que a fé muitas vezes exige um grau de doação e sacrifício que não se parece muito com o que costumamos associar a sucesso. Estamos falando aqui de outro modelo de sucesso, vivido por homens extraordinários como o apóstolo Paulo, que enfrentou muitas dificuldades – foi preso diversas vezes, açoitado com varas, apedrejado, sofreu um naufrágio, passou fome e sede –, mas não desistiu de servir a Deus.

Paulo, Jesus, Gandhi e Martin Luther King Jr. são exemplos de sucesso, mas nenhum deles era rico nem teve uma vida fácil. Todos passaram por grandes sofrimentos e morreram por seus ideais. Por isso, não devemos encarar o sucesso com a visão míope e limitada à popularidade ou à fortuna. Maomé, o criador do islamismo, disse que "a verdadeira riqueza de uma pessoa é o bem que ela faz ao mundo".

As provações servem para fortalecer os homens de fé. Foi a partir de suas experiências difíceis que Paulo, por exemplo, comprovou: "Tudo posso naquele que me fortalece" (Filipenses 4:13). Quem não confia em Deus não pode contar com essa força extra capaz de levantar o ânimo e complementar nossos esforços quando estamos angustiados e em situação de perigo. Mas qualquer um que ainda não vive isso pode, se quiser, começar esse tipo de jornada espiritual.

CHEGANDO AONDE A FÉ ALCANÇA

Um paradigma importante para ser salvo é compreender que a religação com Deus e a vida eterna não são obtidas por nossos merecimentos, mas pelo sacrifício de Jesus Cristo. Para quem está acostumado ao sistema de mérito e esforço pessoal, isso é difícil de entender. Mas, nesse caso, o único esforço pessoal necessário é se reconhecer "pobre e necessitado", como Davi, ou seja, imperfeito e carente da graça de Deus. Então, recebendo Jesus como Senhor e Salvador, somos justificados perante um Deus que é perfeito.

O fato de sermos salvos pela graça, sem merecimentos, pode ser visto ao longo de todo o Novo Testamento, como nesta passagem: "Porque pela graça sois salvos, por meio da fé, e isto não vem de vós, é dom de Deus" (Efésios 2:8). Citamos, em especial, a parábola que está em Mateus 20:1-15: quem trabalhou mais, desde a manhã, recebeu a mesma coisa que aquele que chegou no final do dia. Isso significa que não importa quanto você merece, mas sim a generosidade de quem oferece. Não se trata de pagamento, e sim de salvação.

Após a salvação, deve-se seguir o processo de amadurecimento e mudança de vida que a Bíblia chama de santificação. Esqueça aquela noção estereotipada de santo como algo inacessível. As Escrituras dizem que devemos ser santos, passando a nos comportar de forma diferente. Como disse o rabino Albert Lewis, "a fé tem a ver com ações. Você é o modo como age, não apenas o modo como acredita".

A Bíblia diz que, para ter êxito na vida após a morte, é necessário que você reconheça Jesus Cristo como filho de Deus. Ele veio ao mundo, nasceu, cumpriu o seu ministério, morreu sendo inocente para pagar pelos nossos pecados e ressuscitou. Jesus prometeu que nós estaríamos com ele após a morte se o seguíssemos. Por isso, não faz sentido você usar a Bíblia para viver bem sua vida terrena e não usá-la para viver bem na eternidade. Aproveite a sabedoria deste livro milenar para incrementar seus negócios e sua carreira, mas não desperdice a oportunidade de conhecer Jesus e o poder de transformação que ele pode ter em toda a sua vida.

Busque a cada dia se tornar uma pessoa melhor. Deus ama você o suficiente para lhe receber do jeito que está, e o ama o suficiente para querer que você melhore. Para quem já entregou sua vida a Jesus e procura seguir o que a Bíblia ensina, nosso conselho é que não subestime quanto ela pode auxiliá-lo também em seu desenvolvimento profissional. Esteja mais atento às suas orientações com relação ao trabalho e mude a sua postura, se for necessário.

Deixe Deus fazer parte da sua vida. Ele se preocupa com seu

bem-estar e sucesso. Ele trabalha conosco. Aliás, trabalha até enquanto estamos dormindo, como Ron Mehl explica no livro *Deus trabalha no turno da noite*. Muitas pessoas esgotam suas forças para melhorar de vida, mas não conseguem receber a metade do que Deus reserva para aqueles que o seguem e confiam em sua ação. Tenha esperança naquele que deixou para nós a promessa: "Clama a mim, e responder-te-ei e anunciar-te-ei coisas grandes e firmes, que não sabes" (Jeremias 33:3).

Quem acredita apenas em si mesmo projeta apenas o que entende ser plausível aos seus olhos. É normal. Mas quem crê na existência de Deus projeta o que a sua fé alcança – e o poder de Deus não tem limites, ele é "capaz de fazer infinitamente mais do que tudo o que pedimos ou pensamos, de acordo com o seu poder que atua em nós" (Efésios 3:20).

Nós já comprovamos isso na prática. Jamais imaginávamos que chegaríamos aonde chegamos. Temos parceria com um Deus que não tem a obrigação de fazer nada para ter lugar privilegiado em nosso coração. Ele pode nos levar aonde a nossa mente não alcança ainda. Isso vale para nós e para todos os que creem.

"O justo viverá pela fé."
Gálatas 3:11b

CONCLUSÃO

"Acredito no Cristianismo como acredito no nascer do Sol. Não só por enxergá-lo, mas porque graças a ele eu enxergo o mundo."
C. S. Lewis

Sua vida é um presente que você recebeu e só você pode escolher o que pretende fazer com ela. Deus quer que você tenha uma vida plena e abundante, mas cabe a você tomar suas decisões e traçar seus caminhos. Ele só intervirá de forma mais profunda se você permitir, se acreditar nele e se colocar suas leis em prática. Sua disposição de servir a Deus e ao próximo também fará diferença na sua jornada. A definição de tudo isso deve ser feita aos poucos, sem açodamento. Não se preocupe se achar que está muito longe do ideal: caminhar na direção certa é mais importante que a velocidade ou a distância até o alvo. A salvação é um presente, fruto da graça, e o aperfeiçoamento é um processo. O interessante é exatamente isto: construir uma bela história e não recebê-la pronta.

Enfim, você tem o privilégio de estar vivo e poder escolher para onde ir e em qual companhia. Isso é maravilhoso. Aproveite. Defina suas prioridades, tenha calma e viva sua vida. Há um belo trecho da Bíblia que, embora trate de uma situação específica, fala sobre isso: "Olha, toda a terra está diante de ti; para onde te parecer bem e conveniente ir, para ali vai" (Jeremias 40:4).

Acima de tudo, busque ser um sucesso aos olhos de Deus. Você pode mirar no exemplo de Jesus, que viveu para amar e servir, morreu, ressuscitou e está vivo. Suas palavras revolucionárias duram até hoje, depois de 2 mil anos. Seu livro, a Bíblia, é o maior best-seller de todos os tempos. Mas Jesus também deu a vida e abdicou de seu conforto por amor e em prol da salvação de muitos. Sua trajetória inspiradora vai muito além de uma visão de mundo limitada a trabalho, negócios e conquista de bens.

Conte com Deus, mas faça a sua parte. Tenha perseverança para colher os frutos das novas sementes que plantou. Se demorar, não perca a fé. Como dizia o escritor e cronista Fernando Sabino, "no fim tudo dá certo, e se não deu certo é porque ainda não chegou ao fim". Não tenha pressa nem ache que tudo acontece da noite para o dia. Lembre-se de que você deve aproveitar a vida e as bênçãos que Deus concede, especialmente a oportunidade de estar vivo. Saber fazer isso é um dom extraordinário. Mais do que ficar apenas pensando em dinheiro e carreira, viver envolve buscar sucesso e prosperidade em todas as áreas da vida, como saúde, família, amor, lazer e amizades.

O livro de Eclesiastes é um forte exemplo desta visão de vida. Ele foi escrito por Salomão, um homem que procurou a felicidade de todas as formas, por meio da riqueza, do trabalho e do poder. No fim de suas explorações, ele concluiu que tudo era vaidade. Veja os ensinamentos que ele nos deixou após tanta reflexão:

"Diante disso:
Aproveite a vida! Coma do bom e do melhor,
Aprenda a apreciar um bom vinho.
Sim, Deus tem prazer no seu prazer!
Vista-se toda manhã como se fosse para uma festa,
Não economize nas cores nem nos detalhes.
Aprecie a vida com a pessoa que você ama
Todos os dias dessa sua vida sem sentido.

Cada dia é um presente de Deus. É tudo o que se pode receber
Pelo árduo trabalho de se manter vivo.
Portanto, tire o máximo de cada dia!
Agarre cada oportunidade com unhas e dentes e faça o melhor que puder.
E com prazer!
É sua única chance,
Pois, junto com os mortos, para onde você vai com certeza,
Não há nada a fazer nem haverá o que pensar."
(Eclesiastes 9:7-10)

Não perca a oportunidade de viver bem. "Rico é quem vive feliz", dizia Lao-Tsé. Enriqueça, então, dessa espécie tão rara de riqueza.

"Aparte-se do mal, e faça o bem. Busque a paz, e siga-a."
1 Pedro 3:11

APÊNDICE: AS 50 LEIS BÍBLICAS DO SUCESSO

As 25 Leis Bíblicas do Sucesso	Sociedade com Deus
(As leis que se aplicam a todas as pessoas)	(As leis que estão associadas à fé em Deus)
AS LEIS DA SABEDORIA	**AS LEIS DA FÉ**
1. A Lei da Oportunidade	1. A Lei da Fé
2. A Lei da Sabedoria	2. A Lei da Oração
3. A Lei da Visão	3. A Lei do Treinamento
4. A Lei do Foco	4. A Lei da Aflição Premiada
5. A Lei do Planejamento	5. A Lei do Jardim
AS LEIS DO TRABALHO	**AS LEIS DO ESFORÇO**
6. A Lei do Trabalho	6. A Lei da Qualidade Máxima
7. A Lei da Coragem	7. A Lei da Milha Extra
8. A Lei da Resiliência	8. A Lei do Empreendedorismo
9. A Lei da Alegria	9. A Lei do Registro Positivo
10. A Lei da Recarga	10. A Lei da Liderança Amorosa
AS LEIS DA INTEGRIDADE	**AS LEIS DA RETIDÃO**
11. A Lei da Autocontratação	11. A Lei da Integridade
12. A Lei da Honestidade	12. A Lei do Conjunto Amplificada
13. A Lei do Nome	13. A Lei da Resiliência Generosa
14. A Lei do Farelo	14. A Lei dos Dez Passos
15. A Lei do Autocontrole	15. A Lei da Ajuda ao Próximo
AS LEIS DO RELACIONAMENTO	**AS LEIS DO RELACIONAMENTO COM DEUS**
16. A Lei do Amor	16. A Lei da Dependência
17. A Lei do Acordo	17. A Lei da Paciência
18. A Lei da Utilidade	18. A Lei da Mordomia
19. A Lei do Aconselhamento	19. A Lei da Adoração
20. A Lei da Liderança	20. A Lei da Submissão
AS LEIS DA EVOLUÇÃO PESSOAL	**AS LEIS DO MILAGRE**
21. A Lei da Gratidão	21. A Lei da Intervenção divina
22. A Lei da Generosidade	22. A Lei dos Milagres Humanos
23. A Lei do Contentamento	23. A Lei dos Milagres Provocados
24. A Lei da Empregabilidade	24. A Lei da Parceria
25. A Lei da Semeadura	25. A Lei do Sucesso Eterno

Nesta obra, foram usadas as seguintes traduções da Bíblia:

AA	Almeida Atualizada
ACF	Almeida Corrigida Fiel
ACRF	Almeida Corrigida e Revisada Fiel
ALF	Alfalit
ARA	Almeida Revista e Atualizada
ARC	Almeida Revista e Corrigida
ARIB	Almeida Revista Imprensa Bíblica
NTLH	Nova Tradução na Linguagem de Hoje
NVI	Nova Versão Internacional
SBB	Sociedade Bíblica Britânica
VC	Versão Católica

Nesta obra foram utilizadas diversas traduções da Bíblia. Se tiver interesse, a tabela com as citações e suas respectivas fontes está disponível no site www.sextante.com.br na página do livro *Sociedade com Deus* e em Facebook.com/SociedadecomDeus. Nestas páginas também existem outras tabelas, com a versão ampliada das bases bíblicas dos livros *As 25 leis bíblicas do sucesso* e *Sociedade com Deus.*

Bibliografia

Abuderne, Patrícia. *Megatrends 2010: the rise of conscio capitalism.* Nova York: Hampton Roads Publishing, 2007, p. 85-86.

Albom, Mitch. *Tenha um pouco de fé.* Rio de Janeiro: Sextante, 2010.

Alves, Rubem. "Gaiolas e asas". *Folha de S.Paulo*, seção Tendências e Debates, 5 de dezembro de 2001. (Disponível em <http://www.rubemalves.com.br/gaiolaseasas.htm>. Acesso em 23/10/2011).

Azevedo, Israel Belo. "Pise na grama, por favor". Prazer da Palavra. 12 de março de 2011. (Disponível em <http://www.prazerdapalavra.com.br/index.php?option=com_content&view=article&id=3972:bom-dia-pise-na-grama-por-favor&catid=1517:bom-dia&Itemid=7882>. Acesso em 19/03/2011).

Bezerra Junior, Aramis Brito. *Politicamente incorreto: o cristão e a missão integral do Evangelho.* Rio de Janeiro, 2010.

Bíblia. Novo Testamento (com notas, comentários, estudos bíblicos e ajudas ao leitor) – Bíblia King James Atualizada (KJA). São Paulo: Abba Press, 2007.

Bíblia Hebraica (Baseada no hebraico e à luz do Talmude e das fontes judaicas). São Paulo: Sefer, 2006.

Borentein, Seth. "8.8 Bilion Habitable Earth-size Planets Exist in Milky Way alone". *NBC News*. 4 de novembro de 2013. (Disponível em <http://www.nbcnews.com/science/space/8-8-billion-habitable-earth-size-planets-exist-milky-way-f8C11529186>. Acesso em 02/04/2014).

Breslov, Rebbe Nachman de. *Nunca perca a esperança*. Rio de Janeiro: Sextante, 2013.

Byrd, Randolph. "San Francisco General Hospital". *Southern Med. Journal*, vol. 81, n. 7, 1988, p. 826-29.

Cohen, David. "Deus ajuda?". *Exame*, 22 de janeiro de 2002.

Colombini, Letícia. "A espiritualidade chega às empresas". *Você S.A.*, janeiro de 1999.

Collins, James C.; Porras, Jerry I. *Feitas para durar: práticas bem-sucedidas de empresas visionárias*. Rio de Janeiro: Rocco, 1995.

Dalai-Lama. O *caminho da tranquilidade*. Rio de Janeiro: Sextante, 2000.

Douglas, William. *A arte da guerra para provas e concursos*. 5ª ed. Rio de Janeiro: Campus/Elsevier, 2012.

______________; Gomes, Nataniel. *A arte da guerra para professores: comentários às lições de Sun Tzu aplicáveis ao magistério*. Niterói: Impetus, 2012.

Dungy, Tony; Whitaker, Nathan. *Fora do Comum*. Rio de Janeiro: Sextante, 2011.

Epicteto; Lebell, Sharon. *A arte de viver: o manual clássico da virtude, felicidade e sabedoria*. Rio de Janeiro: Sextante, 2006.

Felder, Leonard. *Os dez desafios*. 9ª ed. São Paulo: Cultrix, 2003

Ferreira, Leila. *A arte de ser leve*. Rio de Janeiro: Globo, 2012.

Figueiredo, Valdemar. Pregação na Igreja Batista Central de Niterói. 13 de março de 2011.

Fisher, Robert. *O cavaleiro preso na armadura*. Rio de Janeiro: Record, 2006.

Frankl, Viktor. *Em busca de sentido: um psicólogo no campo de concentração*. Petrópolis: Vozes, 2008.

Gandhi, Mahatma (Mohandas Karamchand Gandhi). *Autobiografia: minha vida e minhas experiências com a verdade.* 5ª ed. São Paulo: Palas Athena, 1999.

Ghunter, Max. *Os axiomas de Zurique.* Rio de Janeiro: Record, 2010.

Gibran, Khalil. *O profeta.* Porto Alegre: L&PM Editores, 2001.

Gladwell, Malcolm. *O ponto da virada.* Rio de Janeiro: Sextante, 2009.

Gurovitz, Helio; Blecher, Nelson. "O estigma do lucro". *Exame*, p. 18, 30 de maio de 2005, *apud* Ed René Kivitz.

Gracian, Baltasar. *A arte da prudência.* Rio de Janeiro: Sextante, 2006.

Hill, Napoleon. *As leis do triunfo.* Rio de Janeiro: José Olympio, 1997.

Hunter, James C. *O monge e o executivo.* Rio de Janeiro: Sextante, 2004.

Keller, Timothy. *O Deus Pródigo. Rio de Janeiro:* Thomas Nelson Brasil, 2010.

Kivitz, Ed René. *Espiritualidade no mundo corporativo: aproximações entre a prática religiosa e a vida profissional.* Dissertação (Mestrado) – Universidade Metodista de São Paulo. Programa de Pós-Graduação da Faculdade de Filosofia e Ciências da Religião. São Bernardo do Campo, 2006.

Kotler, Philip. *Marketing 3.0: as forças que estão definindo o novo marketing centrado no ser humano.* Rio de Janeiro: Campus/Elsevier, 2010.

Leibovici, Leonardo. "Retroactive prayer: a preposterous hypothesis?" *British Medical Journal*, 14 de janeiro de 2005.

Mehl, Ron. *Deus trabalha no turno da noite.* 14ª ed. São Paulo: Quadrangular, 2002.

Meyer, Joyce. *Homem espiritual & discernimento* (DVD). Ministérios Joyce Meyer.

Nelson, Bob. *Faça o que tem de ser feito: e não apenas o que lhe pedem.* Rio de Janeiro: Sextante, 2003.

Nassar, Raduan. *Lavoura arcaica*. São Paulo: Companhia das Letras, 1989.

Nouwen, Henri J. M. *Volta do filho pródigo: a história de um retorno para casa*. São Paulo: Paulinas, 1999.

Penrose, Roger; Gardner, Martin. *The Emperor's New Mind*. Oxford: Oxford University Press, 2002.

Pinker, Steven. *Como a mente funciona*. São Paulo: Companhia das Letras, 1998.

Ries, Al; Trout, Jack. *As 22 leis imutáveis do marketing*. São Paulo: Makron Books (Grupo Pearson), 1994.

Rouanet, Sérgio Paulo. "Ética discursiva e ética iluminista". *Revista Tempo Brasileiro*, n. 98, Rio de Janeiro, 1989, p. 23-78.

Saint-Exupéry, Antoine de. *Felicidade, amor e amizade: A sabedoria na obra de Antoine de Saint-Exupéry*. Rio de Janeiro: Sextante, 2003.

Silva, Revda Elena Alves. *Passado e presente na história das mulheres. Portal Universidade Metodista, Pastoral Universitária.* (Disponível em http://www.metodista.br/pastoral/reflexoes-da-pastoral/passado-e-presente-na-historia-das-mulheres. Acesso em 26/06/2014).

Tutu, Desmond. *Deus não é cristão e outras provocações*. Rio de Janeiro: Thomas Nelson Brasil, 2012.

Tzu, Sun. *A arte da guerra: os treze capítulos originais*. São Paulo: Jardim dos Livros, 2011.

Warren, Rick. *Uma vida com propósitos*. São Paulo: Editora Vida, 2013, p. 21.

Weber, Max. *A ética protestante e o espírito do capitalismo*. São Paulo: Companhia das Letras, 2004.

Wolfe-Simon, Felisa; Blum, Jodi Switzer; Kulp, Thomas R. et al. "A Bacterium That Can Grow by Using Arsenic Instead of Phosphorus". *Science Mag*, vol. 332, n. 6034, p. 1163-1166, 2 de dezembro de 2010; (Disponível em <http://www.sciencemag.org/content/332/6034/1163>. Acesso em 26/06/2014).

Bibliografia Referida

4 Leis Espirituais. Copyright da Cruzada Estudantil e Profissional para Cristo (Caixa Postal 415.822, CEP 05422-970, São Paulo, SP).

Bibliografia Recomendada

Pai Rico, Pai pobre. Robert T. Kiyosaki, Campus/Elsevier, 2003 (o sucesso o transformou em uma série de livros. Leia pelo menos o primeiro da série).

Os segredos da mente milionária. T. Harv Eker, Sextante, 2010.

Casais inteligentes enriquecem juntos. Gustavo Cerbasi, Gente, 2004.

A Bola de Neve: Warren Buffett e o negócio da vida. Alice Schroeder com a cooperação de Warren Buffet, Sextante, 2008.

O Tao de Warren Buffett. Mary Buffett e David Clark, Sextante, 2007.

Filmografia

Welch, Jack. Palestra "De um líder para outro", no DVD *Take Ten: lições de liderança para equipes.* Willow Creek Global Leadership Summit: 2011.

Desafiando gigantes (*Facing the Giants*), dirigido e estrelado por Alex Kendrick, 2006.

A virada (Fly Wheel), dirigido e estrelado por Alex Kendrick, 2003.

O fazendeiro e Deus (*Faith Like Potatoes*), dirigido por Regardt Van Den Bergh, 2006.

Tropa de elite, dirigido por José Padilha, 2009.

Quase deuses (*Something the Lord Made*), dirigido por Joseph Sargent, 2004.

CONHEÇA OUTRO TÍTULO DOS AUTORES

As 25 leis bíblicas do sucesso

A Bíblia é o melhor manual sobre o sucesso já escrito até hoje. Ao contrário do que se imagina, ela não trata apenas de religião, mas também de valores fundamentais para se construir uma base sólida para a vida profissional.

E foi nessa fonte de sabedoria milenar que William Douglas e Rubens Teixeira garimparam as orientações para consolidar as 25 leis que compõem este livro.

São lições sobre a importância do esforço e da dedicação ao trabalho, da incansável busca de conhecimento e evolução pessoal, do respeito aos outros e, acima de tudo, de um forte senso de honestidade.

Para comprovar a eficácia dessas leis, os autores mostram que os princípios de sucesso de grandes empresários e pensadores da administração, como Warren Buffett, Napoleon Hill e Jim Collins, são calcados em passagens das Escrituras.

Também dão exemplos de pessoas que venceram na vida seguindo os preceitos bíblicos, às vezes sem motivação religiosa ou até mesmo sem saber a origem dos ensinamentos pelos quais se pautavam.

Não importa sua orientação espiritual nem se você é dono de empresa, gerente ou trabalhador, este livro pode transformar sua vida.

INFORMAÇÕES SOBRE A SEXTANTE

Para saber mais sobre os títulos e autores
da EDITORA SEXTANTE,
visite o site www.sextante.com.br
e curta as nossas redes sociais.
Além de informações sobre os próximos lançamentos,
você terá acesso a conteúdos exclusivos
e poderá participar de promoções e sorteios.

www.sextante.com.br

facebook.com/esextante

twitter.com/sextante

instagram.com/sextante

skoob.com.br/sextante

Se quiser receber informações por e-mail,
basta se cadastrar diretamente no nosso site
ou enviar uma mensagem para
atendimento@esextante.com.br

Editora Sextante
Rua Voluntários da Pátria, 45 / 1.404 – Botafogo
Rio de Janeiro – RJ – 22270-000 – Brasil
Telefone: (21) 2538-4100 – Fax: (21) 2286-9244
E-mail: atendimento@esextante.com.br